L'Année sans été

JULIE LEMIEUX

L'Année sans été

Tome 2

La hauteur des terres

Roman historique

Hurtubise

Catalogage avant publication de Bibliothèque et Archives nationales du Québec et Bibliothèque et Archives Canada

Lemieux, Julie, 1978-

L'année sans été

L'ouvrage complet comprendra 4 volumes.

Sommaire : t. 2. La hauteur des terres.

ISBN 978-2-89723-917-6 (vol. 2)

I. Lemieux, Julie, 1978- . Hauteur des terres. II. Titre.

PS8623.E542A62 2017   C843'.6   C2016-942138-4
PS9623.E542A62 2017

Les Éditions Hurtubise bénéficient du soutien financier du gouvernement du Québec par l'entremise du programme de crédit d'impôt pour l'édition de livres et de la Société de développement des entreprises culturelles du Québec (SODEC). L'éditeur remercie également le Conseil des arts du Canada de l'aide accordée à son programme de publication.

Financé par le gouvernement du Canada | Canadä

Conception graphique : René St-Amand
Illustration de la couverture : Jean-Luc Trudel
Maquette intérieure et mise en pages : Andréa Joseph [pagexpress@videotron.ca]

Copyright © 2017, Éditions Hurtubise inc.

ISBN 978-2-89723-917-6 (version imprimée)
ISBN 978-2-89723-918-3 (version numérique PDF)
ISBN 978-2-89723-919-0 (version numérique ePub)

Dépôt légal : 1er trimestre 2017
Bibliothèque et Archives nationales du Québec
Bibliothèque et Archives Canada

Diffusion-distribution au Canada :
Distribution HMH
1815, avenue De Lorimier
Montréal (Québec) H2K 3W6
www.distributionhmh.com

Diffusion-distribution en Europe :
Librairie du Québec/DNM
30, rue Gay-Lussac
75005 Paris FRANCE
www.librairieduquebec.fr

Imprimé au Canada
www.editionshurtubise.com

À Michaël

Apu auen tshisselitek tan eshinakuatsh nite nikanitsh.

«On ne connaît pas son destin.»

Liste des principaux personnages

Aishpanu : Montagnais impassible au regard de feu, guide pour la Compagnie du Nord-Ouest et chef de la brigade devant se rendre au Grand lac Mistassini, placé à l'avant du canot de maître nommé l'*Emily*.

Bélanger (père) : Prêtre énergique et rieur, parcourant le pays sauvage pendant l'été, afin d'administrer les sacrements à tous ses habitants.

Blackwood, Michael : Cartographe au service du Bureau de l'arpenteur général, affecté en mission sur la hauteur des terres sous les ordres de Charles-Émile Boucher de Montizambert.

Boucher de Montizambert, Ange-Élisabeth : Jeune fille de la haute société de Québec, au cœur blessé mais plein de courage, fille de Charles-Émile Boucher de Montizambert et de feue Madeleine Juchereau Duchesnay.

Boucher de Montizambert, Charles-Émile : Ingénieur hydrographe épris de liberté et politicien à ses heures, père d'Ange-Élisabeth Boucher de Montizambert et époux de feue Madeleine Juchereau Duchesnay.

Campeau, Lucien (dit Copeau): Voyageur aux allures de bon garçon de la campagne, avec un sourire un peu trop large, ami de Jean-Cyrille Portelance.

Champagne, Daniel (dit Plumeau): Voyageur aux cheveux courts et hirsutes, habitant des Trois-Rivières et cousin de Louis-Joseph Duchesneau.

Champoux, Claire-Françoise: Femme de Pierre-Antoine Champoux et amie d'Ange-Élisabeth Boucher de Montizambert.

Champoux, Pierre-Antoine: Jeune notaire récemment installé à Québec, époux de Claire-Françoise et ami d'Ange-Élisabeth Boucher de Montizambert.

Chipewyan, Florent: Bois-Brûlé à l'allure sombre et mystérieuse, né aux confins des territoires exploités par la Compagnie du Nord-Ouest et voyageur aguerri.

Collins, Matthew: Petit homme soigné à la moustache noire, commis du poste de traite de Tadoussac.

Connolly, Timothy: Intendant des King's Posts, dont l'autorité naturelle et la grande élégance sont légendaires au sein de la Compagnie du Nord-Ouest.

Dandurand (père): Missionnaire peu enclin au rire, effectuant son tout premier voyage loin des rivages du Saint-Laurent.

Duchesneau, Louis-Joseph (dit Louis-Jos): Habitant des Trois-Rivières, calme mais un peu susceptible, voyageur pour la Compagnie du Nord-Ouest et cousin de Daniel Champagne.

Fitzbay, Aidrian: Jeune Irlandais fraîchement débarqué au Bas-Canada, timide, apprenti voyageur dont le mentor est James McIntosh.

Fortin, Gabrielle (dite Gaby): Chaleureuse domestique au service de Claire-Françoise et Pierre-Antoine Champoux, considérée non pas comme une simple employée, mais bien davantage comme une amie, voire même, un membre de la famille.

Fréchette, Thierry: Sympathique cuisinier de la brigade et engagé du poste de traite de la baie Abatagouche, au Grand lac Mistassini.

Gilbert: Officiellement commis du poste de traite de Chicoutimi, mais aussi gardien d'enfants, cuisinier apprécié et fabricant de bière d'épinette artisanale.

Grandbois, Pierre-Paul : Homme d'honneur, notaire de confiance de la famille Boucher de Montizambert.

Guyon, Jean-Baptiste (feu) : Agresseur d'Ange-Élisabeth Boucher de Montizambert, autrefois actionnaire de la Maison Guyon, oncle de Richard Philippe Guyon.

Guyon, Richard Philippe : Jeune homme irrésistible, au sourire troublant, héritier de la Maison Guyon et fiancé officieux d'Ange-Élisabeth Boucher de Montizambert.

Mahikan : Montagnais intraitable engagé par la Compagnie du Nord-Ouest, époux de Mali Uapikun et ennemi juré de Jean-Cyrille Portelance.

Mali Uapikun : Femme que l'on devine d'une grande beauté, épouse de Mahikan.

Marie : Jeune Montagnaise menue et secrète, dégageant une grande noblesse d'âme et de cœur.

Matshishkueu : Belle Montagnaise de Tadoussac aux longues tresses décorées de galon rouge, épouse affable de Jean-Louis Michaud.

McIntosh, James : Voyageur un peu ironique, voire rebelle, promu commis du poste de traite de la baie Abatagouche, au Grand lac Mistassini.

Michaud, Jean-Louis : Doyen de la brigade, voyageur expérimenté de la Compagnie du Nord-Ouest, placé à l'avant du canot de maître baptisé le *Madame* et époux de Matshishkueu.

Napeukamatet : Vieux Montagnais curieux et rapporteur, chassant dans les environs du poste de traite du lac Chamouchouane.

Noré : Hivernant de la Compagnie du Nord-Ouest, basé au poste de traite du lac Chamouchouane et tenu en haute estime par toute la société des King's Posts.

Perrault : Homme libre vivant aux environs du poste de traite de Chicoutimi avec sa femme Geneviève, une Montagnaise, et leurs nombreux enfants.

Perrault, Geneviève : Montagnaise épouse de Perrault, habituée du poste de traite de Chicoutimi.

Picote, Aurélien : Commis du poste de traite du lac Chamouchouane, grand et cagneux, généralement d'humeur mauvaise, époux de Flavie.

Picote, Flavie : Jeune femme dévouée et généreuse, presque maigre, à la peau hâlée et aux nattes blondes, épouse du commis du poste de traite du lac Chamouchouane.

Pikaluish, Louis-Joseph (dit Matishu): Chef perspicace des Montagnais de Chamouchouane et de Nikupau.

Portelance, Jean-Cyrille: Jeune homme d'une grande beauté, à la peau dorée, voyageur et interprète pour la Compagnie du Nord-Ouest.

Poupart, Geoffroy: Canotier d'expérience de la Compagnie du Nord-Ouest, bon chanteur, placé à la position de gouvernail du canot de maître appelé l'*Emily*.

Rompré, Siméon (dit Boulette): Voyageur peu commode, à la force herculéenne et au caractère bien trempé.

Roy, Jacques (dit le Calumet): Conteur né, fumeur invétéré, voyageur pour la Compagnie du Nord-Ouest occupant la position de gouvernail dans le canot de maître nommé le *Madame*.

Shaw, Peter: Arpenteur-géomètre au service du Bureau de l'arpenteur général, affecté en mission sur la hauteur des terres sous les ordres de Charles-Émile Boucher de Montizambert.

Smith: Commis sans histoire du poste de traite de Métabetchouan, époux de Marie-Josèphe.

Smith, Marie-Josèphe : Femme prétentieuse aux questions indiscrètes, épouse du commis du poste de traite de Métabetchouan.

Soucy : Homme au tempérament haut en couleur, licencié de la Compagnie du Nord-Ouest par Timothy Connolly.

Tshinisheu : Montagnais taquin au regard tendre, engagé comme voyageur par la Compagnie du Nord-Ouest.

Ush : Montagnais discret versé dans l'art de la fabrication des canots d'écorce, engagé par la Compagnie du Nord-Ouest.

Utshimaskueu, Uapishtan : Montagnais des environs de Tadoussac, plutôt distant, engagé par la Compagnie du Nord-Ouest.

Dans un silence parfait, l'aviron à la main, tous les hommes fixaient le guide qui, à présent, nous tournait le dos, solennel. Il leva son bras droit. Un frisson me parcourut. Devant lui, la brume commençait à s'élever sur les eaux calmes du fleuve.

— Matshik[1] ! dit-il en abaissant le bras en direction du chenal nord.

Toutes les pagaies touchèrent l'eau en même temps. Les canots glissèrent sans bruit dans l'aube. Parfaitement synchronisés, les hommes plongeaient et replongeaient leurs avirons à une vitesse prodigieuse. Je me retournai. Restés près de leur voiture, Claire-Françoise et Pierre-Antoine agitaient la main. Je répondis à leur salut, le cœur gros. La rive s'éloignait doucement, mais avec constance. Je ne pouvais plus reculer. Dans quelques heures, j'aurais laissé Québec loin derrière pour me rapprocher de mon père.

En ce 21 juin 1816, voilà que je quittais Québec pour le pays sauvage. Ma décision d'aller rejoindre mon père au poste de traite du lac Chamouchouane, sans même savoir s'il était mort ou vivant, je l'avais prise sur un coup de tête. Et tandis que le Madame et l'Emily fendaient l'eau, mus par la force et l'habileté des voyageurs de la Compagnie du Nord-Ouest, mon appréhension ne cessait de croître. Le soleil allait bientôt se lever et chasser avec lui cette lumière bleutée et vaporeuse qui me glaçait.

---

1. En avant !

Chapitre 1

Courage et liberté

Nous descendions le fleuve depuis plus de deux heures lorsque je remarquai que le *Madame* nous avait distancés. Aishpanu, toujours debout à la proue, agita son aviron dans les airs :

— Ohé ! cria-t-il. Attendez !

Nous vîmes au loin l'équipage déposer les rames. Tous les visages se tournèrent vers nous. Boulette arracha son bonnet de laine rouge et le secoua pour attirer notre attention. Il ne se gêna pas pour railler notre allure :

— Par ici, les plaisanciers !

— Étouffe, Boulette ! se défendit Portelance, alors que nous arrivions à la hauteur du *Madame*. Vous avez un rameur de plus que nous autres ! Et il nous manque Copeau. Ah ! S'il n'était pas allé conter fleurette à une demoiselle de Trois-Pistoles, vous seriez loin derrière ! Et nous, on aurait doublé le cap Brûlé depuis longtemps...

—Le cap Brûlé… Étouffe toi-même, Portelance ! Il vous manque peut-être un milieu, mais vous avez Poupart et Aishpanu comme bouttes[1] !

—Poupart à la poupe, vous pouvez pas avoir mieux, renchérit le voisin de Boulette.

—Poupart à la poupe, Poupart à la poupe, grommela le canotier installé à l'arrière du *Madame*, au pied du mât portant les couleurs de la Compagnie du Nord-Ouest. Je serais presque tenté de le prendre mal ! Vous n'avez qu'à changer de canot, si vous préférez avoir Poupart et Aishpanu comme bouttes. À vous écouter, on dirait que Michaud et le vieux Calumet que je suis ne valent pas mieux qu'une boulette de merde.

Boulette s'enflamma.

—Attends, le Calumet… De quelle forme il est, le morceau de merde dont tu parles ?

Aishpanu désamorça tout de suite la bombe qui menaçait d'exploser.

—Bon ! On va rejoindre le bord pour allumer tranquilles.

Personne ne se fit prier pour se remettre à l'aviron et s'approcher de la rive, tout en prenant bien garde d'éviter les rochers. Tous les hommes, à l'exception du père Dandurand, se mirent conscien-

---

1. Les canotiers d'expérience placés à l'avant (guide) et à l'arrière (gouvernail) du canot étaient appelés «bouttes», par opposition aux «milieux», à savoir les canotiers placés entre l'avant et l'arrière.

cieusement au bourrage de leur pipe. Je remarquai
que chacun portait à sa ceinture un sac contenant
tout ce qu'il fallait pour une pipée de tabac noir. Le
plus rapide à allumer fut Jacques, dit le Calumet, qui
se trouvait à l'arrière du *Madame*. En quelques gestes
bien précis, il fit jaillir des étincelles de ses mains
avec l'aide de son batte-feu, de sa pierre à fusil et
d'un morceau d'amadou tiré d'une petite boîte de
métal qu'il avait posée à côté de lui, sur l'une des
traverses du canot. Il laissa tomber l'amadou fumant
dans le fourneau de sa pipe tout en aspirant à petits
coups les premiers effluves du tabac. Bien vite, l'air
s'enfuma et je fus enveloppée d'une odeur sucrée et
âcre tout à la fois.

Pendant de longues minutes, les hommes fumèrent
en silence, savourant pleinement la pause qui leur
était accordée. Malgré l'heure matinale, on sentait
déjà l'atmosphère s'alourdir. La journée serait tor-
ride. Je bougeai péniblement mes jambes engourdies d'être restées trop longtemps dans une parfaite
immobilité. Je les frottai vigoureusement et tentai
de les étirer sur toute leur longueur. Surveillant
mon manège du coin de l'œil, Portelance vint à mon
secours :

—Vous avez des fourmis dans les jambes, mademoiselle ? C'est normal. Vous vous habituerez. C'est
juste qu'il ne faut pas oublier de bouger de temps
en temps.

Tout en parlant, il déplaça un chaudron de cuivre, un ballot enveloppé d'une peau de loup-marin et quelques carabines afin que je puisse étendre mes jambes. Il me tendit une écuelle en bois, remplie d'eau. Je déclinai son offre. Je redoutais le moment où il me faudrait annoncer à ces messieurs que j'avais envie d'uriner. Aishpanu décréta qu'il était temps de repartir. Tous rangèrent leur pipe à l'exception de Jacques le Calumet qui, j'allais le découvrir, la gardait presque continuellement à la bouche. Le père Bélanger se proposa pour remplacer le fameux Copeau, dont l'absence se faisait lourdement sentir. Avec les précautions propres à l'homme habitué au voyage en canot d'écorce, il se déplaça vers l'avant pour s'installer aux côtés de Portelance. On lui prêta un aviron.

Les frêles esquifs s'éloignèrent de la rive et reprirent leur course sur les eaux calmes du fleuve. La brise tiède et la douceur du paysage de la côte de Beaupré effacèrent, l'espace de quelques heures, tous mes mauvais souvenirs. Poupart entonna une chanson pour donner du cœur au groupe. J'avais déjà entendu parler des chants des voyageurs et de la force mystérieuse qui s'en dégageait.

C'est la belle Françoise lon gai
C'est la belle Françoise
Qui veut s'y marier ma luron lurette
Qui veut s'y marier ma luron luré

Quand toutes les voix de la brigade se joignirent à celle de Poupart, je me sentis envahie par une vive émotion. De l'ensemble se dégageait une sonorité chaude et profonde, toute de compassion. Comme si chacun des rameurs connaissait véritablement cette pauvre Françoise qui allait être abandonnée par son amant.

Sur la rive, debout au milieu des champs ravagés par les gelées tardives, des habitants à l'ouvrage nous saluaient :

— Des voyageurs ! s'écriaient-ils. Venez vite, des voyageurs !

Répondant à leur appel, femmes et enfants accouraient de la maison ou de la grange pour voir passer la brigade. Je vis même un homme se détacher du groupe et courir quelques minutes le long de la rive pour suivre les canots. Il grimpa sur un gros rocher et brandit ses deux poings dans les airs.

— Ohé, voyageurs ! Courage ! Courage et liberté ! cria-t-il dans notre direction.

Sa voix domina le chant des hommes. En guise de salut, plusieurs rameurs levèrent leur aviron. Bien vite, l'homme fut loin derrière. Je me retournai. Toujours debout sur l'imposante pierre, il nous suivait des yeux. Peut-être enviait-il les voyageurs de pouvoir échapper au joug du quotidien des habitants de la vallée du Saint-Laurent, surtout en cette année où le printemps difficile avait ruiné tous les efforts des cultivateurs. Comme si chaque Canadien, à l'instar des Sauvages, avait quelque part en lui cette envie de pénétrer le pays sauvage, ce goût pour l'aventure, cette soif de grands espaces et de liberté.

Une fois le soleil assez haut dans le ciel, sur un signe d'Aishpanu, les canots se dirigèrent vers la rive. C'est avec étonnement que j'aperçus, en haut du talus, une église. Je reconnus tout de suite pour l'avoir déjà vu sur une estampe le sanctuaire dédié à la bonne sainte Anne. À l'approche de la rive, les hommes sautèrent à l'eau. Chacun savait exactement ce qu'il devait faire. Michaud attacha solidement les deux canots à un piquet. Pendant que Poupart ramassait du bois pour le feu, Thierry transporta sur la rive un lourd chaudron de cuivre. Boulette, qui avait déjà débarqué le père Dandurand, portait maintenant le père Bélanger sur son dos. Je cherchai Portelance du regard. Il déposait Marie-Josèphe sur la rive. Je sursautai en remarquant qu'Aidrian Fitzbay, un engagé, attendait après moi. Ce jeune Irlandais, qui s'exprimait en français avec grande difficulté, me sourit et me fit signe de monter sur son dos. Je m'exécutai. Une fois à terre, Marie-Josèphe s'empressa de me prendre par le bras pour me mener à l'écart.

—Par ici, mademoiselle. Je connais un coin où nous serons tranquilles pour nous soulager.

Nous marchâmes le long de la rive jusqu'à un petit boisé. La chaleur et l'humidité devenaient inconfortables, bien qu'il fût encore tôt. J'en profitai pour rafraîchir mon visage et mon cou en m'aspergeant de l'eau glacée d'un petit ruisseau qui allait se perdre sur les battures du fleuve. En revenant vers le groupe, Marie-Josèphe en profita pour aborder de nouveau un sujet qui la préoccupait beaucoup:

—Vous savez, mademoiselle, il est bien imprudent de monter jusqu'à la hauteur des terres avec ces hommes. Qui pourra vous chaperonner? Voilà plusieurs étés que je fais ce voyage et mon mari – il est commis au poste de Métabetchouan – m'a toujours recommandé de me méfier. On ne sait jamais ce qui peut arriver…

—J'ai cru comprendre que le père Dandurand montait jusqu'au lac Mistassini…

—Oh! Le père Dandurand sera de la brigade jusque là? Je croyais qu'il accompagnait le père Bélanger à Tadoussac. Cela me rassure, vraiment… Pour être honnête, j'avais surtout peur à cause de ce Jean-Cyrille Portelance. Il n'y a rien à son épreuve.

Je levai les yeux vers le gaillard en question. Comme la plupart des autres hommes, il avait retiré sa chemise et, presque nu, se baladait en riant, une hache à la main. Seul un brayet couvrait sa virilité. Je rougis et détournai vivement les yeux pour me concentrer sur Marie-Josèphe.

—Vous voyez ce que je disais ? commenta-t-elle en haussant les sourcils.

Nous prîmes place un peu en retrait du groupe, sur un tronc d'arbre renversé. Marie-Josèphe poursuivit ses mises en garde :

—Aucune femme ne peut rien contre lui, chuchota-t-elle, et je vous jure qu'il porte bien son nom.

—Que voulez-vous dire ?

—Qu'avec sa lance, il en aurait transpercé plus d'une… Je ne veux pas médire, mais je pense bien qu'il a trois femmes à trois endroits différents. Toutes des Sauvagesses.

Pierre-Antoine avait donc raison à propos des voyageurs… Je reportai mon attention sur les hommes de la brigade. À dire vrai, la plupart possédaient une remarquable constitution et il était difficile de ne pas les admirer, en particulier ceux qui osaient dévoiler presque toute leur anatomie sous le chaud soleil d'été. Portelance était sans doute le plus beau, quoique Tshinisheu, un Montagnais au regard tendre, et Chipewyan, un Bois-Brûlé[2] à l'allure sombre et mystérieuse, ne lui cédaient en rien. Plusieurs discutaient en riant, soit en français, soit dans la langue des Montagnais. Shaw, Blackwood

---

2. Terme utilisé au XIXᵉ siècle pour désigner les Métis issus de femmes autochtones et de Canadiens français.

et le père Dandurand s'étaient assis tout près de nous, qui formions la pièce rapportée du tableau. Concentré au-dessus de son chaudron, Thierry, le cuisinier de la brigade, était en train de réchauffer un genre de potage composé de pois et de lard. Je compris qu'on avait dû le préparer durant la nuit, la veille du départ. Poupart, impatient de manger, tournait autour du feu.

— C'est assez chaud, répétait-il. On peut se servir maintenant, non ?

Marie-Josèphe s'apprêtait à reprendre la parole lorsque Portelance vint vers nous, accompagné de Chipewyan.

— Alors, mesdames, j'espère que vous avez faim ! À voir Thierry, j'ai l'impression que la soupe sera plus que consistante.

J'avais en effet remarqué que le pauvre Thierry, tenant sa micouenne[3] à deux mains, peinait à la remuer tant elle était épaisse.

— Avec toutes les émotions des dernières heures, je n'ai pas très faim, avouai-je.

Les deux hommes s'étaient assis à nos pieds. Marie-Josèphe ne daigna même pas répondre à la question de Portelance, se contentant de lui jeter un regard condescendant.

---

3. Grande cuillère de bois.

—Votre époux est toujours commis au poste de Métabetchouan, à ce que je vois. J'avais oublié que les femmes de commis ne souriaient pas aux interprètes. Et encore moins aux simples engagés, n'est-ce pas, Chipewyan ? As-tu eu un sourire de la part de madame Smith ?

Chipewyan secoua la tête, avec un air faussement déçu. Portelance continua :

—Je crois que les femmes de commis ne sourient qu'aux guides, ou encore aux autres commis. Je veillerai à ce que McIntosh et Aishpanu viennent vous dérider.

Avec un petit bâton de bois trouvé sur la grève, Portelance dessina sur le sable un soleil triste, puis une lune souriante. Il releva la tête.

—Quant à vous, mademoiselle Boucher de Montquelquechose, vous arrive-t-il de sourire ?

Il me regarda droit dans les yeux avec un air taquin. Son assurance me rappela celle de Richard. Je ne pus m'empêcher de pouffer.

—Merci de rire, mademoiselle. Vous me faites chaud au cœur. J'étais venu vous apprendre qu'on a de la chance, parce que le père Bélanger a apporté du pain, qu'il veut bien partager, et…

Il s'étira vers l'arrière pour cueillir un pissenlit, qu'il approcha de mon menton. Son visage n'était plus qu'à quelques pouces du mien.

— Vous ne pouvez le voir, mademoiselle, seulement croyez-le ou non, le jaune de la fleur se reflète sur votre peau… Juste là, sous le menton. Il n'y a donc aucun doute possible, vous aimez le beurre. Viens voir, Chipewyan, mademoiselle aime le beurre !

Chipewyan s'approcha. Ses yeux bleu clair tranchaient de façon surprenante avec son teint cuivré et ses cheveux noirs.

— Oui ! On ne peut pas se tromper… Je vois la tache jaune sur sa peau, conclut-il.

— Ça tombe bien, parce que le père Bélanger a aussi apporté du beurre, termina Portelance.

Les deux hommes s'éloignèrent en riant, me laissant dans un état de confusion lamentable. Combinée à leur comportement bravache, leur quasi-nudité ne pouvait laisser aucune femme indifférente.

— Vous voyez ? s'empressa de me mettre en garde Marie-Josèphe. Je vous avais avertie ! Mieux vaut ne pas converser avec ces hommes. Mon mari, qui est commis au poste de Métabetchouan, m'a bien mise en garde contre ces farauds.

Je souris intérieurement en l'entendant répéter la fonction de son mari. Assurément, ce détail revêtait pour elle une grande importance. Je ne pus lui répondre, car Aishpanu choisit ce moment pour imposer le silence. Catholiques ou non, tous s'agenouillèrent, sauf Uapishtan, un rameur montagnais. Affichant un air dédaigneux, ce dernier alla s'adosser, bras croisés, à un arbre en retrait. Une prière à la bonne sainte Anne fut récitée avec une ferveur qui me surprit. La fin me parut curieuse et je me demandai qui avait bien pu composer pareille oraison :

> *Lorsque nous serons trempés jusqu'aux os*
> *Et glacés jusqu'au cœur,*
> *Jetez sur nos carcasses d'animaux*
> *Un manteau de chaleur.*

Louis-Joseph Duchesneau et Daniel Champagne, deux autres rameurs, circulèrent avec un panier en écorce pour recueillir les offrandes de chacun. Je compris alors que personne ne prenait à la légère les pouvoirs de la bonne sainte Anne. Tout le monde donna, même Uapishtan. Lorsque le panier d'écorce s'arrêta devant moi, je dus expliquer que j'avais laissé mon sac dans le canot. Sans que je demande rien, Tshinisheu entra dans l'eau sur-le-champ pour me le rapporter. Je donnai plus que moins, ce qui fit grand plaisir à tout le monde. Après que chacun eut payé son « passage », le panier fut porté à l'église avec une peau de vison. McIntosh, qui se tenait près de moi, maugréa entre ses dents :

— Quelle misère de laisser une aussi belle peau à une statue de plâtre !

Aishpanu m'apporta une part de soupe dans une écuelle et le père Bélanger vint m'offrir lui-même un morceau de pain beurré. Quoique la faim me tenaillât, je fus incapable d'avaler cette bouillie farineuse qui m'était offerte. Je me contentai donc du pain. Voyant que je ne mangeais pas, Poupart lorgna mon écuelle. Je la lui laissai sans regret. Les hommes allumèrent leur pipe pendant que Thierry terminait de préparer le thé. J'avais encore faim, j'avais soif, j'avais chaud et les insectes piqueurs, féroces, donnaient l'assaut.

À peine avais-je achevé mon thé qu'il était temps de repartir pour profiter de la marée encore descendante. Sous le regard désapprobateur de Marie-Josèphe, Portelance vint me prendre sur son dos pour m'emmener vers le canot. Au contact de la peau dorée de son torse nu, je ne pus m'empêcher de rougir. Les hommes reprirent l'aviron et, sous les ordres d'Aishpanu, se lancèrent dans la cadence effrénée exigée par leur condition de voyageur. Sur les eaux du fleuve, l'air fraîchit légèrement et les insectes abandonnèrent la partie. Bercée par le chant de la brigade, je me laissai choir contre le ballot de couvertures posé là où le père Bélanger, qui avironnait maintenant à la place de Copeau, avait pris précédemment place. Du coin de l'œil, j'observais à la dérobée les muscles de Portelance, qui jouaient sous sa peau au rythme des coups d'aviron. Plus le temps passait, plus les cheveux qui dépassaient de son foulard bleu s'imprégnaient de sueur et bouclaient à la base de son cou. Je plaignis intérieurement le père Bélanger, qui devait mourir de chaleur sous sa soutane noire. Malgré les grosses gouttes qui coulaient sur son visage, il semblait heureux et insouciant, s'épongeant le front de loin en loin avec un mouchoir de fine batiste. Portelance finit par lui tendre un foulard propre qu'il prit à même son bagage.

— Tenez, mon père. Mettez ça sur votre tête, ça ira mieux.

Avec mon doigt, je cachai le corps du père Bélanger pour ne garder que sa tête dans mon champ de vision. Ainsi coiffé, le visage transfiguré par l'air du large, personne n'aurait pu le prendre pour un prêtre. Portelance décrocha l'écuelle en bois sculpté qui pendait à sa ceinture et la fit glisser sur l'eau pour qu'elle se remplisse. Complétant son geste, il en versa le contenu sur sa tête et son torse. Il remarqua que je l'observais et me fit un clin d'œil. Je détournai vivement mon regard en direction de l'eau. Vraiment, son sourire, un peu en coin, était irrésistible. Je constatai que chaque coup d'aviron laissait dans l'onde un petit tourbillon fugace. Certains duraient plus longtemps que d'autres, mais invariablement, ils mouraient en laissant à la surface de l'eau un minuscule nuage d'écume. Hypnotisée par les mouvements de l'eau, je sombrai dans un profond sommeil.

Chapitre 2

La montagne de l'Ours

L'orage grondait. Étendue sous l'un des canots, dans la pénombre, je respirais l'odeur des branches de sapin fraîchement coupées qui constituaient mon lit de fortune. Au beau milieu de l'après-midi, un vent de tempête s'était levé, formant sur le fleuve des vagues aussi imposantes que dangereuses. Plus les eaux se déchaînaient, plus j'avais l'impression que notre canot rapetissait. Trempés jusqu'aux os par les embruns, nous avions dû accoster en catastrophe dans la baie des Rochers, à quelques heures à peine de Tadoussac. Je remontai ma couverture et fermai les yeux, revivant dans ma tête les événements qui avaient suivi mon départ de Québec.

Durant les trois premiers jours du voyage, ce fut le dépaysement total. Il y avait d'abord eu l'élargissement époustouflant du Saint-Laurent avec l'odeur de la mer. Et ensuite, ponctuant l'immensité, des paysages abrupts composés de promontoires, de caps et de pointes. Nichée au creux de toutes ces aspérités, la baie Saint-Paul m'était apparue comme un havre de douceur et de sérénité. Le village, construit dans un écrin de verdure, invitait à la rêverie. À la vue du clocher de l'église, perdu dans le lointain, j'avais récité une prière dans mon cœur pour la malheureuse dont Gaby nous avait raconté l'histoire. Les circonstances entourant le destin tragique de cette jeune fille me glaçaient le sang. Rejetée par son époux au lendemain de ses noces, accusée, peut-être à tort, d'avoir eu un amant avant son mariage, elle avait cédé au désespoir et s'était enlevé la vie. Pour donner l'exemple, le curé de l'époque avait exigé que dans le cimetière, son cercueil reste ouvert… que son corps soit exposé à la vue de tous. Comment pareil drame avait-il pu se produire dans un endroit aussi féerique ? Le mal était donc partout…

Il y avait eu aussi l'île aux Coudres, Les Éboulements et le cap aux Oies. Passé La Malbaie, notre route s'était vue ponctuée de toute une série d'anses aux noms surprenants : anse du Remous, anse au Sel, anse du Port au Persil, anse au Mange-Lard, anse de la Ciboulette, et combien d'autres encore. Sous la chaleur écrasante, je m'étais laissée porter par les humeurs que le fleuve imposait aux hommes de la brigade, obligés de pagayer du lever au coucher du soleil. Bien que rythmé par les marées et d'innombrables pipées, le quotidien des voyageurs ne laissait guère de place au repos. Deux repas et une nuit de quelques heures, voilà tout ce dont les rameurs disposaient pour détendre leurs muscles endoloris.

Même si je n'avais pas encore eu le courage de m'immiscer dans les conversations des hommes, je commençais à me sentir de mieux en mieux parmi eux. Aishpanu veillait sur moi et j'avais maintenant une totale confiance en lui. Chaque soir, il avait préparé mon lit de branchages. Il m'avait aussi montré comment utiliser la graisse d'ours pour me protéger des insectes piqueurs. J'avais d'abord refusé son aide mais, mise au supplice dès ma première nuit à la belle étoile, j'avais dû me lever pour lui demander bien humblement de mettre fin à mon tourment. À ma grande surprise, je l'avais trouvé assis au bord du feu, parfaitement éveillé. Avec une patience infinie, sans montrer le moindre signe d'agacement, il avait allumé un fanal et s'était éloigné du feu pour aller chercher dans ses affaires la boîte de métal contenant la graisse en question. À la lueur du feu, il y avait trempé ses doigts pour ensuite approcher sa main de mon visage. Prise d'un accès de timidité, je n'avais pas voulu le laisser me toucher. Il m'avait alors recommandé de ne pas oublier mes oreilles et d'en mettre aussi à la base de mes cheveux, ce que je n'avais pas fait correctement. Le lendemain, McIntosh avait pris un malin plaisir à me prêter son miroir, afin que je puisse admirer les innombrables morsures laissées par les petites mouches noires dans mon cou, autour de mes oreilles et à la racine de mes cheveux.

Le tonnerre gronda. À l'appel d'Aishpanu, je sortis de sous le canot. Une masse de nuages sombres se formait au large et nous eûmes bientôt le privilège d'assister à un spectacle grandiose. Loin de nous, au milieu du fleuve, un véritable déluge s'abattait en une muraille laiteuse reliant l'horizon à la ligne des nuages. Tous prirent quelques instants pour admirer l'orage, qui se déplaçait majestueusement vers l'est. Notre arrêt forcé retardait notre progression vers Tadoussac, quoique chacun semblât apprécier la liberté offerte par cette parenthèse. Installée à l'abri du vent et loin de la pluie, en attendant que soit prête la bouillie de maïs qui, invariablement, composait le menu du soir, j'avais relu toutes les lettres de Richard.

À présent, la tête appuyée sur mon bagage, j'observais les allées et venues de mes compagnons de voyage autour du feu. Aishpanu et Ush, un Montagnais versé dans l'art de la fabrication des canots d'écorce, achevaient de colmater les fuites de l'*Emily* avec une palette de bois et de la gomme d'épinette chaude. L'embarcation dans laquelle je prenais place depuis le début du voyage, contrairement au *Madame*, avait vu bien du pays. Aussi nécessitait-elle une inspection minutieuse et des soins particuliers tous les soirs. Debout près de son chaudron de cuivre, Thierry surveillait la cuisson du repas tandis que Portelance, Michaud et Boulette, occupés à se raser, utilisaient à tour de rôle le miroir de McIntosh, accroché au tronc d'un bouleau. Des cris de joie accueillirent le retour triomphal de Tshinisheu et de Uapishtan. Partis pêcher au filet dans l'une des nombreuses anses de la baie, les deux Montagnais revenaient avec plusieurs gros poissons, de quoi nourrir toute la brigade. Marie-Josèphe en oublia sa conception obtuse des relations que devait entretenir la femme d'un commis avec les engagés. Elle s'élança vers eux et les remercia au moins quatre fois d'avoir pensé à améliorer notre ordinaire.

Ce soir-là, pour la première fois depuis mon départ de Québec, je me régalai. Jamais poisson ne m'avait paru si fondant. Rien n'aurait pu assombrir notre repas, pas même une goutte de pluie. Au loin, des orages continuaient de s'abattre férocement sur le fleuve. À l'ombre des falaises rocheuses, nous étions miraculeusement épargnés par le mauvais temps. Un rai de lumière vint nimber de poussière d'or l'île sise au milieu de la baie. Le paysage s'éclaira soudain comme par miracle et je me sentis enveloppée d'une grâce céleste. Comme si Dieu avait voulu me signifier que je me trouvais exactement là où je devais être. J'aurais aimé que cet instant dure indéfiniment, mais l'ambiance animée autour du feu dissipa le charme. Le thé avalé, Aishpanu autorisa les hommes à boire du rhum. Après trois jours de dur labeur, l'heure était à la fête. D'autant plus que nous étions la veille de la Saint-Jean.

—Avec tous ces orages, la chaleur devrait nous lâcher un peu, prédit Aishpanu en admirant la beauté saisissante des lieux.

—Il faut bien être un Sauvage pour faire pareille prévision, ironisa Boulette. Bois donc un peu de rhum, Aishpanu. Tes présages deviendront plus intéressants…

—Jamais! répondit-il. Plus jamais je ne serai l'esclave du whisky blanc.

Il se leva pour se servir une tasse de thé.

—Parle-nous donc un peu de ta vie, Aishpanu, demanda McIntosh. On raconte tellement d'histoires à ton sujet. Est-il vrai que tu ne dors jamais et que tu ne crains pas la mort?

Aishpanu sourit.

—Y a-t-il un homme, ici, qui craint la mort?

Personne ne se risqua à le relancer là-dessus.

—Tu vois, McIntosh? Je ne suis pas différent de vous. Il n'y a donc rien à raconter.

Dans son coin, caché derrière la fumée bleuâtre de sa pipe, le Calumet ricanait.

—Personne n'a peur de la mort ici… Tiens donc… Le diable ne doit pas se tenir bien loin…

—Aishpanu, insista Thierry, est-ce vrai que tu as erré seul dans le nord pendant des années? Que le lac Musquaro est encore hanté par tes cris?...

—On dit tant de choses, murmura Aishpanu pour lui-même.

—Que tu as suivi les Naskapis, que tu as traversé le Labrador et que tu as vu le détroit d'Hudson?

En entendant Thierry évoquer les Naskapis, Aishpanu redressa la tête.

—Oui, c'est vrai. Les Naskapis m'ont sauvé la vie et je les ai suivis.

—Qu'est-ce que tu faisais au lac Musquaro? C'est dans la seigneurie de Mingan, non? voulut savoir McIntosh.

—Je ramassais des bleuets, se moqua Aishpanu.

—Très drôle! bougonna McIntosh.

—Que veux-tu, ricana le guide, ils sont bons, les bleuets de la seigneurie de Mingan!

—Abandonne, McIntosh! conseilla Michaud. Tu ne tireras rien d'Aishpanu de cette façon! Je le connais... Pour le faire parler, il faut l'emmener sur le terrain du doré masqué.

Presque toute la brigade éclata de rire. En tant qu'interprète, Portelance s'occupa de traduire la conversation en anglais pour Shaw, Blackwood et Fitzbay, le jeune Irlandais. Aishpanu leva les yeux au ciel.

—Je laisse le doré masqué à Boulette, répondit-il.

Boulette, qui était assis sur le sol à la manière des Indiens, protesta.

— Pourquoi moi ? Est-ce que j'ai l'air d'avoir envie de parler du doré masqué ? Et puis d'abord, je vous ferai remarquer qu'il y a des femmes, par ici.

Son regard croisa le mien par accident, juste comme il terminait sa phrase. Il détourna les yeux rapidement, comme s'il était honteux de son comportement. Michaud prit la parole :

— Allez, Aishpanu, raconte-nous une de tes aventures, n'importe laquelle.

Le guide posa ses coudes sur ses genoux et parut réfléchir un instant.

— Connaissez-vous la rivière Musquaro ? demanda-t-il à la ronde.

— De nom, mais je ne l'ai jamais vue, répondit Louis-Joseph.

Tout le monde s'était tu pour écouter Aishpanu.

— C'est une rivière où il faut chercher son chemin. On y avance à tâtons, de baies en étranglements. Son cours est traître. Comme toutes les rivières, me direz-vous. Mais la Musquaro va jusqu'à la déloyauté. J'avais entrepris de la remonter, seul, pour atteindre la montagne mythique de l'Ours noir – ainsi nommée parce qu'elle rappelle la forme de l'animal et qu'il n'y manque rien, ni les oreilles ni la queue. Il y a de ça bien des lunes… Près de vingt ans. J'étais jeune en ce temps-là et je portais en moi une grande souffrance.

Une perdrix s'envola dans un claquement d'ailes.

—J'avironnais de jour comme de nuit, avec pour seul bagage quelques bouteilles de whisky blanc. J'espérais noyer ma peine dans l'ivresse et l'épuisement… La douleur du corps, on peut toujours lui parler, s'en faire une amie. Mais la peine qui s'était enfoncée dans ma poitrine comme une pointe de flèche, je ne venais pas à bout de m'en débarrasser. Aux premiers temps de mon voyage, l'énergie du désespoir me faisait progresser rapidement. À la recherche de la montagne de l'Ours, je domptais le courant sans difficulté et portageais d'un pas léger. Pourtant, je parcourais tous les méandres de la rivière sans jamais apercevoir la montagne. Plus d'une fois, je croisai des Naskapis, toujours les mêmes. Tantôt ils remontaient, tantôt ils descendaient la rivière. Ils me virent pleurer sur les plages, tourner en rond autour des îles, aller et venir dans des couloirs sans issue… Ils me crurent d'abord fou et s'éloignèrent de moi sans jamais chercher à me parler.

Aishpanu fit une pause. Personne n'osa lui poser de questions. Il alla se servir une autre tasse de thé et poursuivit debout son histoire.

—Je compris que jamais je ne trouverais la montagne de l'Ours. Affaibli par la faim, ivre de whisky blanc et malade, je décidai d'en finir. Je m'engageai sur le lac Musquaro, une redoutable étendue parsemée d'une multitude d'îles, de presqu'îles et de baies profondes. Un vrai labyrinthe où il est possible de se perdre à jamais. À bout de forces, je brisai mon canot sur des rochers et attendis la mort. Elle fut longue à venir me chercher. Je la sentais rôder aux alentours, comme un carcajou affamé. Lentement, elle commença à prendre possession de mon corps. À la toute fin, il n'y avait plus en moi que le froid. Alors que je pensais enfin me libérer de ma douleur, j'aperçus la montagne. Haute, noire et massive, elle avait tout de la forme d'un ours, même la queue. Fou de joie, je voulus me redresser pour l'admirer. C'est alors que la montagne fondit sur moi et lacéra mes chairs d'un lourd coup de patte. Ce sont les Naskapis qui m'arrachèrent des griffes de la mort et de celles d'un énorme ours noir. Ils me baptisèrent alors Aishpanu, "celui qui se déplace dans plusieurs directions, de différentes façons".

Le récit d'Aishpanu fut suivi d'un long silence. Le soleil n'était pas encore couché et pourtant, à l'ombre des escarpements de la montagne, la baie avait pris des couleurs sombres et froides. Nous nous étions tous rapprochés du feu. Aishpanu se dirigea vers Aidrian Fitzbay.

— Portelance, annonce-lui que c'est ce soir qu'il recevra son baptême de voyageur.

Tous les hommes de la brigade parurent enchantés de la décision d'Aishpanu. Seul Michaud voulut s'y opposer :

— Ce serait mieux d'attendre passé Chicoutimi, sur la hauteur. Il aura au moins eu le temps de démontrer sa valeur en remontant le Saguenay et en portageant. On ne sait même pas s'il...

— Non, on le baptise aujourd'hui, le contredit le Calumet en secouant sa pipe. La soirée est belle et nous avons du temps. Les orages sont partis.

Déçue de la fin abrupte du récit des aventures du guide, je me demandais à présent en quoi consisterait ce « baptême ». Sans doute un simulacre. N'était-ce pas un blasphème ? Le père Bélanger avait pourtant l'air aussi content, sinon plus, que les voyageurs. De son côté, Aidrian, peu rassuré, affichait une mine paniquée. On le fit placer au centre du groupe, Portelance à ses côtés.

On lui ordonna tout d'abord de raconter son histoire. Confus, Aidrian balbutia quelques mots dans un anglais incompréhensible. On voyait bien qu'il ne tenait pas à ce que toute l'attention soit portée sur lui. Tête baissée, il frappait à répétition un rocher pris dans la terre avec le bout de son pied. À plusieurs reprises, il eut beau tenter de s'exprimer, les mots lui manquaient. À chacun de ses échecs, il passait sa grande main dans ses cheveux roux coupés court. Ainsi torturé par la brigade en attente de son récit, il me faisait pitié. Michaud lui approcha une bûche pour qu'il puisse s'asseoir. On lui donna aussi une rasade de rhum. Voyant que le pauvre garçon ne se décidait pas, Aishpanu mit fin à son supplice en demandant à chaque engagé de la Compagnie de se présenter.

Tous les voyageurs s'étaient regroupés, nous laissant, nous les passagers, de côté. Le père Bélanger, le père Dandurand, Shaw, Blackwood, Marie-Josèphe et moi n'étions plus que des spectateurs. Le premier à parler fut Portelance. Il se présenta en anglais, puis reprit en français :

— Mon nom complet est Jean-Cyrille Portelance, mais on m'appelle simplement Portelance. Mon nom de famille me tient lieu de surnom.

Quelques rires étouffés accompagnèrent sa présentation. Il fixa alors Marie-Josèphe de ses yeux de velours noir. À la lueur du feu, il était plus beau que jamais.

— La réputation de ma lance me précède.

Cette boutade provoqua l'hilarité générale chez les hommes. Marie-Josèphe se contenta de pousser un soupir d'exaspération. Le calme revenu, les voyageurs prirent la parole chacun leur tour en laissant à Portelance le temps de traduire en anglais pour Aidrian. J'appris ainsi que Florent Chipewyan était né aux confins des territoires exploités par la Compagnie, sur les bords de la rivière de la Paix, loin, très loin dans le nord-ouest. Que Geoffroy Poupart était le plus expérimenté des nautoniers et que Jacques Roy dit le Calumet avait appris à fumer dès l'âge de trois ans. Siméon Rompré, déjà passablement éméché, expliqua pourquoi on l'avait surnommé Boulette :

— Parce qu'une fois, sur la Côte-Nord, on avait bien bu avec les gars, j'en demande pardon au Seigneur, assez pour être tous malades. J'avais mal au cœur et je n'arrivais pas à vomir. J'ai bien essayé l'eau chaude… Rien à faire. Au lever du soleil, j'ai cru enfin y arriver. Devant tout le monde, plié en deux, le corps couvert de sueurs froides, j'ai rendu… une boulette. Pareil comme une chouette !

Le père Dandurand, qui était un peu médecin, ne put s'empêcher d'intervenir. Lui, si calme au demeurant, s'emporta :

— Voyons, voyons, vous avez inventé cette histoire ! C'est impossible, pour un homme, de régurgiter une boulette à la manière des hiboux ! Vous deviez être véritablement ivre, mon fils.

— Je n'y peux rien, si j'ai régurgité une boulette ! Et qu'est-ce que ça peut faire, d'abord ? J'avais peut-être mangé des souris vivantes… Allez donc savoir !

Je ne pus m'empêcher de pousser un cri d'horreur, ce qui amusa beaucoup Boulette.

James McIntosh se présenta directement en anglais. J'appris qu'il était le fils d'un armateur montréalais. Louis-Joseph Duchesneau, que tout le monde appelait Louis-Jos, habitait les Trois-Rivières, tout comme son cousin Daniel Champagne, surnommé Plumeau en raison de ses cheveux courts et hirsutes. Jean-Louis Michaud, le doyen du groupe, avait trente-huit ans. Ush expliqua que son surnom signifiait « canot » dans la langue des Montagnais. Quant à Thierry Fréchette, il se contenta de mentionner que lui-même n'aimait pas sa cuisine.

Uapishtan et Tshinisheu n'avaient encore rien dit. Ils s'exprimèrent longuement dans la langue des Montagnais, en ricanant. Tout cela demanda une grande concentration à Portelance. À la fin, il dut même argumenter avec eux. Tout le monde attendait impatiemment la traduction.

— Uapishtan Utshimaskueu vient des environs de Tadoussac. Son prénom, qui veut dire "martre", est le même que celui de son père. Cet animal a une importance particulière dans leur famille. Pour Tshinisheu, c'est un peu plus compliqué.

Tshinisheu se mit à ricaner à la manière d'Aishpanu. Portelance continua :

— Il est né au poste du lac Chamouchouane. Tshinisheu, "brochet" en français, est un surnom qu'il a reçu de sa mère. Selon elle, Tshinisheu possède un pouvoir d'attraction sur les brochets.

—N'importe quoi, le reprit Michaud. Il a dit que sa mère était charmée par les brochets pendant qu'elle était enceinte de lui !

Aishpanu fronça les sourcils en entendant cette remarque. Puis il se mit à ricaner.

—Tu te trompes, l'apostropha-t-il. Portelance a bien traduit ! Je plains ta femme, Michaud ! Pauvre Matshishkueu ! Elle doit avoir du mal à te faire comprendre ce qui tient du charme et du pouvoir d'attraction entre un homme et une femme.

—Il devrait pourtant savoir que ça prend plus que des brochets pour charmer une Sauvagesse ! l'asticota Poupart en riant. Matshishkueu a dû réussir à lui expliquer par des gestes !

—Ça fait, quoi, cinq ans que tu essaies d'apprendre le montagnais ? Il va falloir dire à Matshishkueu d'employer différemment le temps qu'elle passe avec toi, plaisanta Aishpanu, toujours en ricanant.

—Bon ! Bon ! Bon ! bougonna Michaud. Mêlez-vous donc de vos affaires et laissez Portelance terminer sa traduction si... merveilleusement juste, compléta-t-il avec ironie.

Portelance leva les yeux au ciel.

—C'est toi qui as voulu me reprendre ! Bon, où j'en étais ?... La mère de Tshinisheu... Alors qu'elle était enceinte de lui, jamais elle ne réussit à pêcher autre chose que des brochets. Pas de doré, pas de poisson blanc. Encore aujourd'hui, elle refuse de pêcher en sa présence.

Tout le monde rit. Tshinisheu accueillit les taquineries qui fusèrent de part et d'autre sans se fâcher. Ses longs cheveux noirs tombaient sur sa poitrine. De ses deux mains, il les attrapa pour les ramener dans son dos. Puis, il fit craquer ses jointures derrière sa nuque et s'étira longuement. Même si tous les voyageurs avaient cette manie de s'étirer les bras et le dos à tout moment, sans façon, pour un oui ou pour un non, Tshinisheu exécutait ces gestes avec une douceur qui me fascinait. Aidrian, après avoir entendu toutes ces histoires extraordinaires, parut disposé à confier la sienne, ce qu'il fit avec un air de profonde tristesse, les lèvres tremblantes. Le visage de Portelance devint grave.

—Aidrian Fitzbay a seize ans. Il vient du comté de Cork, en Irlande. Avant que sa famille ne se décide à partir, il a vu mourir deux de ses trois jeunes sœurs. À leur arrivée à Québec, au début du mois de juin, ses parents sont morts à l'Hôtel-Dieu d'une maladie contractée pendant le voyage en bateau. Les Augustines l'ont recommandé à monsieur Connolly et McIntosh a accepté de le prendre comme apprenti au lac Mistassini.

Nous étions tous atterrés par la situation de ce jeune homme. Depuis le début, il ne rechignait à aucune tâche, obéissant aux ordres, se tenant toujours prêt à aider. Michaud se leva. Avec sollicitude, il posa une main sur l'épaule d'Aidrian et l'emmena au bord du fleuve. Aishpanu, Poupart et le Calumet les suivirent en silence. Là, Aidrian dut s'agenouiller sur le sable. Aishpanu prit l'écuelle qu'il portait à sa ceinture et puisa de l'eau dans le fleuve. Michaud, Poupart et le Calumet se placèrent autour du jeune homme et Aishpanu versa l'eau du fleuve sur la tête d'Aidrian. De loin, nous regardions la scène dans un silence respectueux. Seul le père Dandurand avait regagné sa couche, choqué de ce qu'il considérait comme une parodie du baptême chrétien. Aishpanu murmura à l'intention d'Aidrian des paroles qu'il me fut impossible de comprendre. L'instant était solennel. Lorsqu'ils revinrent auprès du feu, Michaud offrit une pipe à Aidrian. Tous les hommes allèrent lui taper dans le dos. Il était maintenant un des leurs, un voyageur. Le rhum circula encore et tous se mirent à chanter et à danser en rond en se tenant par la main. J'aurais bien aimé danser, moi aussi, seulement je ne me sentais pas de leur monde. Je préférai rejoindre Marie-Josèphe et me coucher. La marée n'allait pas tarder à se retirer et il nous faudrait partir pour Tadoussac dans quelques heures.

Malgré la fête, je m'endormis sans peine. Subitement, une violente secousse me réveilla quelques instants plus tard. Je pris peur lorsque je m'aperçus que j'avais été tirée de mon sommeil par Boulette.

Assis près de moi, il avait pris ma main et me regardait les yeux pleins d'eau.

—Mademoiselle, il fallait que je vous parle…

—Que me voulez-vous?

—Je ne suis pas correct avec vous. Que va penser votre père quand vous lui raconterez que j'ai été désagréable avec vous et que je mange des souris vivantes?

Je ne sus que lui répondre. Il porta ma main à son cœur. Effrayée par son insistance, je la lui arrachai. Il éclata en sanglots.

—Me pardonnerez-vous un jour pour le doré masqué? Vous avez le droit de savoir. Oh! mademoiselle! Je m'excuse… Je m'excuse tellement… Je n'ai jamais voulu qu'il soit masqué. Un poisson, ça ne doit pas être masqué. Jamais!

Je compris qu'il était complètement saoul. Je m'assis et me frottai les yeux. Dans le ciel, aucun signe de l'aube. En cette nuit de nouvelle lune, l'obscurité était totale. Seul le feu jetait quelques reflets aux alentours. Je cherchai des yeux Aishpanu, qui n'était pas assis auprès du feu comme à son habitude. La panique me gagna. Je me levai.

—Boulette, suis-moi, émit une voix sortie des ténèbres.

Aishpanu venait d'apparaître comme par magie. Il releva Boulette et l'entraîna dans l'obscurité. Je ne réussis pas à me rendormir. Sur le feu, la bouillie de pois et de lard de Thierry mijotait. L'odeur qui s'en dégageait n'était pas désagréable. J'ignorais combien d'heures me séparaient de l'aube et je laissai mes pensées vagabonder auprès de Richard. Un instant, je me félicitais d'être partie retrouver mon père. L'instant d'après, je tremblais à l'idée que Richard puisse revenir à Québec avant moi. Que penserait-il? N'ayant reçu aucune missive de ma part pendant toutes ces années, il allait rentrer pour constater que je ne m'étais pas donné la peine d'attendre son retour? J'espérais que le billet que j'avais laissé pour lui à Claire-Françoise le convaincrait de la sincérité de mes sentiments. Je lui avais écrit une lettre d'amour.

Enfin, l'aube s'annonça par une faible clarté à l'est. Le camp reprit tranquillement un semblant de vie. Plusieurs hommes se réveillèrent amochés de la fête du baptême d'Aidrian. Le temps avait à peine rafraîchi. Au moins le vent était-il tombé. Aishpanu ordonna le départ.

Nous naviguions depuis une bonne heure lorsque le nordet se leva sans crier gare. Les canots prenaient des vagues de plus en plus grosses. Au sein de la brigade, la nervosité était palpable. Impassibles, les Sauvages gardaient la tête baissée et ramaient à toute vitesse. Rien n'aurait pu les en empêcher. Portelance attribuait cette attitude à la crainte des esprits. Tous furent forcés de suivre la cadence. Poupart entonna un chant pour donner du courage aux rameurs. Plumeau l'arrêta sous prétexte que l'air choisi n'était pas de circonstance :

—On n'est pas sur la rivière des Outaouais, on est sur le fleuve ! Et je ne sais pas si tu as remarqué que la Vieille[1] s'est levée !

Poupart répliqua immédiatement :

—Si tu penses qu'on est dans une situation délicate, tu n'as pas vu grand-chose. Et puis sur le fleuve, on ne dit pas "la Vieille".

Poupart changea tout de même de chanson. Aucune pause ne fut accordée. Quand nous passâmes la pointe aux Alouettes, Aishpanu encouragea les troupes :

—Il ne reste plus qu'à doubler la pointe Noire, traverser le Saguenay, et nous serons à Tadoussac.

Sous le ciel gris et menaçant, cette pointe portait bien son nom. Ses rochers sombres et ses flancs dénudés n'abritaient que quelques arbres chétifs. Plus le jour avançait et plus le vent forcissait. La peur commençait à se lire sur les visages. Sans relâche, les hommes avironnaient. Lorsqu'enfin j'aperçus le Saguenay, mon cœur cessa de battre un instant.

Ses eaux noires et profondes surgissaient du pays sauvage entre des falaises de roc vertigineuses. Sur leurs crêtes battues par le vent s'accrochaient par les racines quelques épinettes faméliques. Dominée

---

1. Le vent.

par ce paysage d'épouvante, je fus prise de terreur. Un mauvais pressentiment s'insinua dans mon esprit. Je n'arrivais pas à m'y soustraire, pas plus qu'à quitter des yeux cette immense déchirure entre les montagnes, cette entrée béante vers le royaume des Titans. Je n'étais pas la seule puisque, tous, nous regardions le Saguenay, fascinés par sa beauté brute, effrayés par ses mystères. Aidrian en avait même temporairement cessé de pagayer.

Sur l'autre rive, droit devant nous, se profilait au loin la baie de Tadoussac. Les hommes durent déployer toute leur énergie pour parvenir à surmonter les énormes lames noires qui surgissaient spontanément autour des canots. À force de lutte, les voyageurs parvinrent à sortir les embarcations de cet enfer. Une fois dans la baie, je discernai finalement les bâtiments du poste. Nous vîmes des hommes descendre sur les berges alors que nous approchions de la rive. Ils nous adressaient de grands gestes de bienvenue. En tendant l'oreille, on pouvait entendre leurs cris de joie. Bientôt, je pus distinguer leurs visages. Ils étaient tout autant inquiets qu'heureux. Quatre hommes de Tadoussac s'avancèrent dans l'eau pour attraper les canots par la pince. À bout de force, les rameurs déposèrent leurs avirons. Avant de débarquer, je tournai mon visage vers le large. Les eaux, les rochers, les pointes, les montagnes... tout me parut noir.

Chapitre 3

Ailleurs que sous un canot

Je montai, incertaine, le sentier menant à la terrasse naturelle où se situait le poste. Une chapelle au toit rouge, quelques maisons, des bâtiments de ferme… Sous le ciel morne de ce matin venteux, Tadoussac me fit l'effet d'un triste bourg laissé à l'abandon. Dans le tumulte des retrouvailles, je restai auprès d'Aishpanu. Tous parlaient en même temps, dans des langues différentes. Une Sauvagesse courut se jeter dans les bras de Michaud. Il l'enlaça tendrement et l'embrassa avec hardiesse. Avec ses longues tresses décorées de galon rouge et ses bracelets de cuivre, elle était belle. Elle portait une chemise de calicot sous une robe de drap bleu. Le bas de ses mitasses rouges, décoré de rubans appliqués, laissait voir le bout de ses pieds nus. À son cou pendait un crucifix de métal brillant. Son regard croisa le mien. Sans aucune gêne, le visage impassible, elle me détailla longuement. Déroutée par son attitude, je cherchai des yeux mes compagnons de voyage, espérant un peu de réconfort. Je pris alors conscience que plus personne ne parlait. Tous m'observaient.

À la façon dont on m'examinait, je compris qu'il devait y avoir bien longtemps qu'une jeune fille de qualité en mousseline et capote à rubans ne s'était présentée sur les rivages de Tadoussac. Malgré l'épreuve des derniers jours, j'avais réussi à conserver un semblant d'élégance. Ma robe était défraîchie, tachée, mais je continuais de porter mon chapeau et mes gants. Incapable de supporter davantage le regard inquisiteur de cette foule hétéroclite, je baissai la tête et me rapprochai imperceptiblement d'Aishpanu. Heureusement, un petit homme soigné à la moustache noire fit diversion en se frayant un passage parmi le groupe massé autour de moi. C'était le commis du poste, le maître de céans.

— Enfin, vous voilà ! s'écria-t-il, essoufflé d'avoir couru jusqu'à nous.

Il donna une vigoureuse poignée de main à Aishpanu et l'invita à le suivre d'un signe. Je remarquai que les voyageurs de la brigade s'étaient déjà dispersés et que plusieurs étaient retournés aux canots.

— Vous arrivez bien tôt ! s'étonna le commis, avec un fort accent anglais. Il n'est même pas huit heures ! Alors, quelles nouvelles de Québec ? Les marchandises arriveront bientôt ?

—La goélette ne quittera pas Québec avant le 30 de juin. Connolly a été formel là-dessus. Impossible de faire autrement, lui apprit Aishpanu.

—Ah! C'est ce maudit printemps qui nous a tous mis en retard! Tiens, regarde mon jardin! Je n'ai rien pu faire! Aurons-nous seulement des légumes à nous mettre sous la dent d'ici la fin de l'été? Depuis quelques jours, il fait chaud… Trop chaud, même…

Aishpanu le coupa sans cérémonie.

—Collins, as-tu eu des nouvelles des gens du lac Chamouchouane?

—Non! Pourquoi? *No news is good news*[1]! Un engagé du poste de Métabetchouan est venu chercher de la farine, il y a une semaine environ. Il nous a annoncé que le lac avait calé[2] bien tard et que tout le monde allait bien, tant à Métabetchouan qu'à Chicoutimi.

Le commis se retourna pour s'adresser à Marie-Josèphe:

—Vous avez entendu, madame Smith? Tout le monde va bien à Métabetchouan, y compris votre mari! Il vous attend!

Il s'adressa de nouveau à Aishpanu:

—Et puis Perrault a eu son cinquième fils le 26 février. Il voulait qu'on prévienne le père Bélanger

1. Pas de nouvelles, bonnes nouvelles!
2. Expression désignant le moment où un lac est libéré de l'emprise des glaces qui se forment à sa surface au début de l'hiver.

dès son arrivée, pour le baptême. Il paraît que beaucoup ont été malades, cet hiver, à Chicoutimi… Allez-vous manger quelque chose ? On n'a plus de pain, mais quelqu'un se chargera de faire une cuite cet après-midi.

Je gratifiai Aishpanu d'un sourire reconnaissant. Il avait cherché à s'informer de mon père. Nous n'avions pas encore de nouvelles. Peut-être en aurions-nous à Chicoutimi, ou encore à Métabetchouan ? Je n'avais pas pensé que les engagés se déplaçaient fréquemment d'un poste à l'autre.

Collins nous invita à entrer dans sa maison. De l'extérieur, elle ressemblait à une pauvre maison de bois malmenée par le temps. Une fois à l'intérieur, je me réjouis de découvrir un aménagement tout à fait confortable. Le commis nous invita à boire du thé. Pendant qu'il suspendait le coquemar dans l'âtre, Aishpanu procéda aux présentations. Collins connaissait déjà McIntosh, Marie-Josèphe et le père Bélanger, trois habitués du poste, qu'il salua chaleureusement. Il s'inclina ensuite respectueusement devant le père Dandurand, Shaw, Blackwood et moi. Je me sentais sale et épuisée. J'esquissai néanmoins une révérence avant d'enlever mon chapeau et mes gants. Ne sachant trop où les mettre, je les déposai sur le banc à côté de la porte. Le père Bélanger, impatient de montrer la chapelle et le presbytère au père Dandurand, s'excusa auprès du commis. Les deux prêtres quittèrent la maison.

Nous nous assîmes autour d'une imposante table en bois équarri, capable d'accueillir au moins douze personnes. De ma place, je pouvais voir le fleuve. Il me paraissait toujours aussi menaçant, même à travers les carreaux d'une fenêtre. Collins mit à notre disposition des biscuits de mer tout en s'excusant de ne pouvoir nous offrir mieux. Ses manières étaient tout à fait charmantes. Ainsi reçue avec égard par un homme convenablement vêtu, je retrouvai mes repères et c'est avec plaisir que je m'offris pour servir le thé.

—Est-ce que je me trompe, Matthew, ou vous avez changé vos rideaux? s'informa Marie-Josèphe.

Surpris d'une pareille question, le commis s'accorda quelques secondes de réflexion avant de répondre.

—Mes rideaux... Ah oui! Vous avez raison! C'est la femme de Michaud, Matshishkueu, qui me les a cousus l'hiver dernier pour tromper son ennui. On avait reçu cette belle toile jaune de la Compagnie le printemps dernier. Je ne sais trop pourquoi, elle a grandement déplu aux Sauvages. Personne n'a voulu en acheter. Je me suis donc sacrifié. À tout prendre, ça met un peu de gaieté dans mon intérieur...

—Oh! L'opinion des Sauvages est de peu de valeur en cette matière, enchaîna Marie-Josèphe.

Je puis vous assurer que la femme du gouverneur a tout récemment tendu de jaune une pièce du Château Saint-Louis. Cette couleur est à la mode, mon cher !

Flatté sans doute par le lien qui avait pu être fait entre ses rideaux et le Château Saint-Louis, Collins frotta ses mains, l'air content. Le silence tomba. On n'entendait plus que les rafales et le bruit de l'écoulement du thé que je versais dans les tasses de terre cuite posées directement sur le bois de la table. J'y mis autant d'application et de grâce que pour une réception mondaine. McIntosh suivait chacun de mes mouvements d'un œil amusé et charmé. Une fois le service terminé, je me rassis. Tous, nous étions fatigués de l'éprouvante équipée du matin. Marie-Josèphe replia ses bras et coucha sa tête sur la table. Comme je l'enviais de pouvoir se laisser aller ainsi ! Jamais je n'aurais osé prendre cette liberté. Certes, en se mariant à un commis, elle avait atteint les sommets hiérarchiques du pays sauvage. En revanche, tout dans ses manières trahissait ses origines. En fait, je n'aurais porté aucun intérêt à ses manquements si elle n'avait continuellement cherché à montrer sa prétendue supériorité. Pour moi qui fréquentais la bonne société de Québec, il était clair que cette femme n'avait jamais mis les pieds au Château Saint-Louis.

Collins brisa le silence.

—Repartirez-vous avec la marée montante ? s'informa-t-il.

—Non, il vente trop, c'est impossible. Cette journée sera perdue. De toute façon, il me manque deux hommes. Mahikan[3] et Copeau sont-ils arrivés ?

—J'ai vu Mahikan au campement des Sauvages. Hum, Copeau… Tu parles bien de Lucien Campeau ?

—Celui-là même !

—Il ne s'est pas encore montré par ici.

Aishpanu resta silencieux pendant un bon moment.

—Nous devons l'attendre. Je ne veux pas partir avec un homme en moins pour le lac Mistassini.

—Peut-être que quelqu'un pourrait le remplacer… Ces temps-ci, il nous arrive du nouveau monde tous les jours. Des Micmacs sont même venus s'installer ici pour l'été. Sans compter qu'hier, deux Abénaquis se sont présentés. La traite s'annonce bonne !

—J'irai me promener dans les tentements pour voir si je ne trouverais pas quelqu'un. Je ferai aussi surveiller le fleuve. Copeau devrait nous arriver de Trois-Pistoles, dit Aishpanu.

—Trois-Pistoles ?

---

3. Traduction du nelueun, langue des Pekuakamiulnuatsh (Ilnus du lac Saint-Jean) : loup.

—Rien de moins. Je crois qu'il est allé voir une fille.

—Pffft! s'indigna le commis en lançant ses bras dans les airs. C'est à n'y rien comprendre avec les jeunesses d'aujourd'hui. Risquer de perdre sa place dans une brigade pour aller voir une fille. Il n'avait qu'à lui faire porter une lettre! De toute façon... Comment disent les Canadiens, déjà : "Mariez-vous à votre porte avec des gens de votre sorte"?

Il m'interrogea du regard pour voir s'il ne se trompait pas. Je ne connaissais pas cette expression. Aussi me contentai-je de hausser les épaules, désolée de ne pouvoir l'aider en ce domaine. Aishpanu se leva en ricanant et s'éloigna de la table pour s'approcher d'un lit en bois sur lequel s'entassaient du sapinage et des couvertures de laine.

—Personne n'est installé ici? demanda-t-il à Collins en pointant le lit.

—Non, Aishpanu! C'est ton lit!

Visiblement harassé, le guide se débarrassa avec lenteur de tout son bagage et de tous ses ornements. Il commença par se désarmer. Je comptai trois couteaux : un pendait à son cou, un autre était accroché à sa ceinture et un dernier, plus petit, était glissé dans l'une des jarretières soutenant ses mitasses. Il les déposa tous les trois avec sa hachette sur une chaise placée à côté du lit. Il enleva ensuite sa corne de poudre, passée en bandoulière, et un sac en peau richement décoré de piquants de porc-épic. Il posa son sac à feu en fourrure et son écuelle sur le lit et dénoua sa ceinture à flèches enroulée trois fois autour de ses reins. Comme il ôtait sa chemise, je détournai les yeux pour m'intéresser à la conversation qui se déroulait en anglais entre Collins, McIntosh, Shaw et Blackwood. J'avais pourtant souvent vu Aishpanu à moitié nu. Pourquoi ses gestes me troublaient-ils en cet instant ? Était-ce de voir un homme se déshabiller à l'heure du petit-déjeuner entre une table et un lit, devant des invités ? Je crus sentir que Shaw et Blackwood aussi jugeaient déplacé le comportement du guide. Tout comme moi, ils n'avaient pas encore l'habitude des mœurs du pays sauvage. Je ne pus m'empêcher de regarder à nouveau en direction du lit. Maintenant torse nu, Aishpanu avait dénoué sa chevelure, qui lui tombait jusqu'au bas du dos. Il retira un à un ses colliers, ne gardant sur lui que sa croix et ses bracelets. Assis au bord du lit, les coudes sur les genoux, il avait presque l'air triste. Il défit ses jarretières et secoua les jambes mollement pour enlever ses mitasses sans effort. Enfin, il sortit sa pipe de son sac à feu et la bourra tranquillement, sans se presser. McIntosh, qui était justement en train d'allumer la sienne, se leva pour lui apporter du feu. Après avoir aspiré quelques bouffées, Aishpanu le remercia dans sa langue :

— *Tshinishkumitin*[4] !

Il replaça sommairement les couvertures sur le sapinage puis il se coucha, un bras replié sous sa nuque.

— Comment est-ce qu'on s'organise pour cette nuit ? lui demanda Collins.

— Mes hommes s'arrangeront…

— Je parlais de ces messieurs du Bureau de l'arpenteur général.

— Shaw et Blackwood… On pourrait les envoyer coucher au presbytère.

— Oui, et McIntosh peut prendre la place qu'il me reste dans l'autre pièce. Pour les femmes, il faudrait demander à Matshishkueu…

Aishpanu se redressa sur un coude et interpella Marie-Josèphe :

— Madame Smith ?

Marie-Josèphe souleva sa tête.

— Amenez donc avec vous la demoiselle et allez faire savoir à Michaud que cette nuit, vous aimeriez dormir ailleurs que sous un canot.

— Nous allons repartir demain matin ? demandai-je à Aishpanu.

— Je l'espère, mademoiselle.

Voyant que j'hésitais à parler, il s'assit complètement. Un long jet de fumée sortit de ses narines.

---

4. Merci !

—Qu'est-ce que vous n'osez pas me demander ?

—Est-ce aussi à... Matshis... à la femme de Michaud que je dois demander où prendre un bain et laver mes vêtements ?

Tous les hommes me regardèrent.

—Nous n'avons pas de baignoire à Tadoussac, mademoiselle, me répondit Collins.

—Allez dans un coin tranquille de la baie... Je ne le dirai à aucun des gars, c'est promis, plaisanta Aishpanu.

Pendant que McIntosh s'amusait ferme en traduisant la blague à Shaw et Blackwood, je jetai un regard noir au guide, qui s'était recouché en ricanant, laissant flotter au-dessus de lui la fumée bleue de sa pipe. Soucieux du confort de ses invités de marque, Collins vint à mon secours.

—Revenez dans quelques heures, mademoiselle. Je demanderai à l'un des engagés du poste d'aller chercher de l'eau et d'en faire chauffer pour remplir une bassine. Vous n'aurez qu'à vous installer dans l'autre pièce.

Il quitta la table pour aller ouvrir la porte d'une grande armoire. Il me montra un morceau de savon du pays.

—Regardez, le savon est ici.

Il referma l'armoire et nous raccompagna jusqu'à la porte.

—Ce soir, vous viendrez manger du castor ici, nous invita Collins. C'est la Saint-Jean, aujourd'hui! Si je me fie aux autres années, ça devrait fêter un brin!

Je le remerciai avant de quitter la maison en compagnie de Marie-Josèphe. La démarche de cette dernière traduisait son mécontentement.

—Allez parler à Michaud... Est-ce que je sais, moi, où il est? Ça lui va bien, à Aishpanu, de donner des ordres du fond d'un lit... Et puis, je demanderai moi aussi à me laver avec de l'eau chaude dans la maison de Collins. J'ai l'habitude des bains, vous savez!

Nous passâmes devant un hangar ouvert où quelques hommes s'occupaient à parfaire des avirons. Boulette était justement en train d'appliquer une couche de vernis sur le sien. À côté de lui, Aidrian peignait des ondulations noires sur une pagaie neuve. Accoté sur le manche de son aviron, Portelance le regardait faire en compagnie d'un homme que je ne connaissais pas, sûrement l'un des engagés du poste de Tadoussac. Je m'approchai d'eux. Impatiente de poursuivre son chemin, Marie-Josèphe me laissa derrière.

—Je vais tâcher de trouver Michaud, me lança-t-elle en continuant sa route.

Portelance me fit un clin d'œil. Boulette était si absorbé par son travail qu'il ne s'aperçut même pas de ma présence.

—C'est gentil de venir nous voir, commença Portelance. Il faut du courage pour s'approcher de démons comme nous.

—Vous, des démons?

—N'est-ce pas ainsi que nous dépeint la femme du commis Smith?

—Oui, surtout vous, monsieur! Inutile de le cacher.

—Vous avez le mérite d'être franche. Mais laissez tomber le "monsieur", je vous en prie. Après être grimpé sur le dos d'un homme, on peut le tutoyer et l'appeler par son petit nom. Ne le saviez-vous pas?

—Non, je l'ignorais.

—C'est une loi non écrite du pays sauvage.

Les hommes rirent doucement tout en continuant de vaquer à leurs occupations. Portelance me gratifia de son irrésistible sourire en coin.

—Je suis un peu déçu de voir que vous ne me craignez pas. J'aime bien vous voir baisser les yeux… Seulement vous ne le faites qu'en présence d'Aishpanu…

—Il est pourtant très facile de me faire peur. Vous n'avez qu'à porter la barbe, ripostai-je le plus sérieusement du monde en repensant à Jean-Baptiste Guyon.

Portelance me regarda longuement. Je ne sais pourquoi, j'eus l'impression qu'il lisait entre les lignes.

—Alors, je prendrai soin de me raser fréquemment. Personne ne devrait vous effrayer par ici, mademoiselle. J'y veillerai personnellement.

Il me tira une bûche afin que je puisse m'asseoir. On me présenta à Livernoche. Il n'était pas un engagé du poste de Tadoussac, mais de celui de Sept-Îles, sur la Côte-Nord, en aval du fleuve. Il tenait dans ses mains un aviron neuf.

—Tu aurais dû lui conseiller de prendre un aviron en cèdre! dit-il à Boulette en pointant Aidrian avec son menton. Le pauvre garçon! Il passera son temps à poser du vernis, comme toi.

—C'est une question de goût, se défendit Boulette. Moi, je préfère le tilleul. Et c'est à moi qu'Aidrian a demandé conseil. Peut-être bien que le cèdre ne pourrit pas, mais je le trouve moins résistant. Il me semble que le coup de rame est meilleur avec du tilleul. Ça rentre dans l'eau tout seul!

Boulette tenta de donner des instructions à Aidrian sur la meilleure façon de vernir son aviron une fois que la peinture serait sèche. Son anglais était épouvantable. Aussi Portelance vint-il à son secours. Devant nous s'étendait l'immensité de la baie et du fleuve. Le ciel gris restait menaçant, bien que le temps fût plus agréable que les jours précédents. Un coup de vent vint fraîchir l'atmosphère. Je fermai les yeux. Lorsque je les ouvris, Portelance scrutait l'horizon.

—Je me demande ce qui est arrivé à Copeau, finit-il par laisser tomber.

Boulette, toujours préoccupé par la façon dont Aidrian s'y prenait pour vernir son aviron, redressa la tête. Il vint se poster aux côtés de Portelance.

—Tu vois les moutons sur le fleuve? demanda-t-il.

—Oui!

L'écume des vagues du puissant cours d'eau laissait apparaître ici et là des têtes blanches. On aurait cru qu'un troupeau de moutons était en train de se noyer dans l'immensité grise et mouvante des flots.

—Pas besoin de chercher ailleurs, continua Boulette. Pour tout de suite, il est bien mieux à Trois-Pistoles qu'entre deux rives…

—Dans le message qu'il a laissé à Aishpanu, il promettait qu'il serait ici avant le 20 juin.

Boulette enleva son bonnet de laine pour se gratter la tête en réfléchissant.

—Peut-être que sa fiancée le retient prisonnier, blagua-t-il.

—Non… Ce n'est pas dans les habitudes de Lucien de manquer à sa parole.

—Ha! Ha! L'amour fait faire bien des choses. L'aurais-tu oublié?

—N'empêche que…

—N'empêche que quoi? Je ne sais plus quoi te dire, Portelance. Tu nous parles de Copeau depuis

qu'on est arrivés à Tadoussac. Même que tu l'appelles Lucien. Serais-tu jaloux de sa fiancée ?

Portelance fit mine d'étrangler Boulette.

—Non ! Tu as dévoilé mon secret devant mademoiselle ! Meurs, crapule !

Boulette tomba à genoux en riant.

—Sérieusement, ça ne peut pas être sa fiancée
qui est à Trois-Pistoles, reprit Portelance.

—Pourquoi ?

—Copeau est amoureux de l'une des sœurs de
Noré.

Boulette, surpris, haussa les épaules.

—Eh bien ! s'exclama-t-il en retournant auprès
d'Aidrian. Il faut croire qu'il n'y a rien de trop beau
pour un habitant…

Une nouvelle bourrasque me décida à partir
retrouver Marie-Josèphe. Mes pas me menèrent à
flanc de montagne, aux abords d'une sapinière odorante traversée par un joyeux petit ruisseau. L'endroit
était enchanteur, tant par sa beauté que par sa fraîcheur. Une irrésistible envie de m'étendre sur
l'herbe pour me reposer me prit. J'étais à peine
allongée que deux Sauvagesses venues puiser de
l'eau passèrent près de moi. Elles ne firent aucunement attention à ma présence. Mal à l'aise, je me
relevai. Leur habillement était semblable à celui de
Matshishkueu : une chemise de calicot et une robe
de drap sur des mitasses ouvragées. La plus jeune

portait sur sa tête un curieux bonnet bleu et rouge tout en hauteur dont la base était brodée de perles blanches. Elles bavardaient et riaient. Mon cœur se serra. Claire-Françoise me manquait.

Après avoir longé quelques parcelles en jachère et croisé une vache, je découvris Michaud à proximité de l'endroit où les Sauvages cabanaient.

—Enfin, vous voilà! m'écriai-je. Madame Smith vous a-t-elle parlé?

—Non, je ne l'ai pas vue!

—Aishpanu l'avait envoyée vous dire qu'elle et moi aimerions dormir ailleurs que sous un canot, cette nuit.

Michaud sourit.

—Je peux vous arranger ça, mademoiselle. Venez avec moi.

Je le suivis jusqu'à la tente qu'il occupait avec Matshishkueu. Il appela sa femme, qui vint tout de suite le rejoindre. Ils échangèrent quelques phrases dans la langue des Montagnais. Matshishkueu me sourit et m'invita à entrer dans une autre tente toute proche, qui était vide.

—Je vous laisse, je descends aux canots voir s'il ne reste rien à faire, me fit savoir Michaud.

Il adressa quelques mots à sa femme et nous laissa seules. Matshishkueu commença à me parler. Elle voulait m'expliquer quelque chose. Voyant que je ne saisissais rien, elle rit et tenta de se faire comprendre en joignant le geste à la parole. Peine perdue. Elle réfléchit un instant.

— Homme, ici, parti.

— L'homme qui était ici est parti?

Elle fit oui de la tête. Son rire était contagieux et je me sentis soudainement heureuse et soulagée. La jeune femme m'emmena dans la forêt où elle utilisa une petite hache pour couper des branches de sapin. Ses gestes étaient sûrs, comme ceux d'Aishpanu. Connaissant l'usage auquel ces ramures étaient destinées, j'en ramenai à la tente autant que je pouvais en porter, à l'exemple de Matshishkueu. Elle me montra ensuite comment les disposer pour bien tapisser le sol. De retour chez elle, elle me remit des couvertures et désigna de la main tout ce que sa tente abritait, me laissant entendre que je pouvais m'en servir.

— Merci, merci, balbutiai-je devant tant d'amabilité. Merci pour votre gentillesse.

Je ne savais trop comment prendre congé. Elle comprit pourtant que je devais m'en aller et me signifia de la main et d'un sourire que je pouvais partir. Je la quittai pour revenir à la maison du commis. Avant même que je ne frappe, Marie-Josèphe m'ouvrit.

— Entrez, mademoiselle. Essayez de ne pas faire trop de bruit. Aishpanu dort et il paraît que c'est très rare. Thierry a apporté nos bagages ici et l'eau est en train de chauffer. Avez-vous vu Michaud?

—Oui! Notre tente est prête, chuchotai-je.

—Notre tente?

—Oui, il y a une tente libre à côté de celle de Michaud. Je vous montrerai où exactement.

Je m'approchai d'Aishpanu. Couché sur le dos, il dormait profondément. N'eût été sa poitrine qui se soulevait à chacune de ses respirations, on aurait pu le prendre pour une statue de bronze. Aucune couverture ne le protégeait; tout son corps s'offrait à ma vue. Je détaillai ses beaux cheveux noirs, son nez droit, ses lèvres pleines, sa poitrine musclée et ses longues jambes bien galbées. J'examinai les cicatrices laissées par les griffes de l'ours du lac Musquaro. Les yeux fermés, il n'avait plus rien d'intimidant. Marie-Josèphe l'observait, elle aussi. Je m'enhardis jusqu'à regarder les trois lignes de ruban rouge qui ornaient le devant de son brayet de laine verte. Incapable d'interpréter le curieux tatouage qu'il portait sur le haut de la cuisse, je m'approchai davantage. Je distinguai les lettres «C», «F» et «E». Aishpanu choisit ce moment pour se tourner dans son sommeil et je sursautai. Maintenant couché sur le ventre, il exposait à notre regard une bonne partie de son postérieur.

Marie-Josèphe et moi ne pûmes nous empêcher d'émettre quelques rires étouffés.

—J'ai eu peur qu'il se réveille, confessai-je à voix basse en m'éloignant.

—Il a bien des défauts, mais il faut avouer qu'il est beau, concéda Marie-Josèphe.

—Oui, il le faut bien… Je me demande quel âge il peut avoir.

—Je n'en ai aucune idée. Voilà une autre énigme à ajouter aux mystères qui planent autour de notre guide.

Chapitre 4

Le souvenir
de Mali Uapikun

Assise sur le parvis de la chapelle surplombant la baie, j'enlevai les épingles qui retenaient la lourde tresse dont m'avait coiffée Gaby le matin de mon départ. Je la défis et commençai à brosser ma chevelure. Tant bien que mal, j'avais réussi à me laver et à m'habiller seule. J'avais aussi lavé les vêtements que je portais depuis le début du voyage. Matshishkueu m'avait montré où étendre mon linge pour le sécher. Elle était restée béate d'admiration devant la robe de cotonnade blanche parsemée de petites violettes que j'avais enfilée, pourtant la plus simple que je possédais.

Le paysage déclinait toutes les teintes possibles de gris. Les yeux rivés sur le ciel, j'observais la course rapide des nuages. Le vent avait tourné et le temps était instable. Des orages se préparaient pour la fin de la journée. Déjà, de l'autre côté du fleuve, l'horizon prenait un ton de cobalt sombre, presque noir.

— Si seulement la chaleur pouvait tomber une fois pour toutes, pensai-je à voix haute.

La vue d'un trois-mâts descendant le fleuve me ramena en pensée au port de Québec, aux Guyon, à Richard. Sans doute ce navire se rendait-il en Angleterre. Le regard perdu en direction de la mer, je sombrai dans la mélancolie. Je me revoyais assise dans le grand salon, la veille du départ de Richard, alors qu'il jouait au piano l'adagio si triste de la *Troisième Sonate* de Beethoven.

Je ne sais combien de temps je restai ainsi. Un bruit de pas soudain me ramena à la réalité. McIntosh venait vers moi. Je me préparai à faire les frais d'une de ses moqueries, mais rien ne vint. Il avait perdu son air railleur. Sans m'en rendre compte, j'avais laissé tomber ma brosse à cheveux à mes pieds. Il se pencha pour la ramasser.

— Vous avez échappé votre brosse, mademoiselle… Et votre châle traîne dans la poussière.

Il prit mon étole de mousseline et la déposa sur mes cheveux, à la manière d'un voile. Il esquissa un sourire et se recula un peu à la manière d'un artiste qui souhaite jauger son œuvre.

— Qu'est-ce qui vous prend ? lâchai-je durement, presque malgré moi.

Le sourire de McIntosh disparut.

—Il me prend que je suis venu chercher le père Bélanger pour qu'il fasse ces petits grigris qui plaisent tant aux catholiques. On vient de m'informer qu'il est impossible de se baigner tant que les eaux n'ont pas été bénies.

Il reprit mon étole et fit mine de me bâillonner avec. Je la lui arrachai des mains. Il émit un petit rire sans joie.

—Vous ne devriez pas parler, mademoiselle. Cela gâche tout !

Sans un sourire, il poursuivit son chemin jusqu'au presbytère. J'enrageais. Qu'avaient-ils donc tous depuis la veille ? Était-ce le temps qui n'en finissait plus de s'assombrir ?

Au bout d'une dizaine de minutes, McIntosh repassa devant moi suivi, cette fois, du père Bélanger qui portait un seau et un goupillon.

Ils descendirent sur les berges. Curieuse, je me postai de façon à pouvoir suivre tout ce qui allait se passer. L'arrivée du père Bélanger fut acclamée par quelques hommes en brayet qui attendaient sur la plage. Je reconnus parmi eux Boulette, Tshinisheu, Portelance, Chipewyan et Thierry. À peine quelques coups de goupillon furent-ils donnés que tous se ruèrent dans l'eau glacée. Les cris déchirants donnaient la mesure de leur courage. Plusieurs Sauvages se joignirent aux baigneurs. J'aperçus même Louis-

Jos et Plumeau dévaler en courant le sentier menant au fleuve pour se jeter dans la mêlée. C'est à peine s'ils prirent le temps de se déshabiller. Du haut de la terrasse, j'avais l'impression de regarder des enfants s'amuser. Ils en vinrent à se chamailler durement. Les rires et les cris stridents des Sauvages emplissaient l'air. Je n'en crus pas mes yeux quand je vis Tshinisheu arracher le brayet de Chipewyan. Au lieu de courir se cacher, ce dernier entreprit de récupérer la lanière de cuir qui servait à attacher son vêtement. Entièrement nu, il attaquait les uns et les autres pour se venger en leur infligeant des coups de fouet sur les cuisses et le dos.

Attirées par le bruit, quelques jeunes filles s'approchèrent pour regarder la scène. Elles rirent aux éclats en voyant ce qui se déroulait sur la plage. Elles pointaient les hommes et discutaient en ricanant à la manière d'Aishpanu. Elles portaient des bonnets bigarrés du même genre que celui que j'avais aperçu un peu plus tôt sur la tête de l'une des femmes venues puiser de l'eau. La gaieté irrésistible de ces jeunes filles eut raison de ma pudibonderie. Je finis par rire de bon cœur moi aussi. Le pauvre Chipewyan en était à chercher désespérément son brayet dans les eaux de la baie lorsque tous les regards se tournèrent dans la même direction. J'eus tout juste le temps de voir un Sauvage nouvellement arrivé pousser violemment Portelance. Surpris par le geste, l'interprète accusa un recul forcé de plusieurs pas. Son assaillant, ne lui laissant pas le temps de retrouver son équilibre, fonça sur lui et le poussa une autre fois. Portelance roula par terre. Avant même qu'il ne tente de se relever, il reçut une poignée de boue dans la bouche et plusieurs coups de pied. Le nouveau venu l'invectivait et j'imaginai qu'il l'abreuvait des pires insultes.

Rapidement, un cercle se forma autour des deux hommes et il me fut impossible d'en voir plus. Je courus vers la descente, le cœur battant. Le visage ravagé par l'inquiétude, Thierry remontait pour alerter Poupart, Michaud et le Calumet, qui fumaient tranquillement leur pipe près de la maison des engagés. Tous ne firent qu'un bond et descendirent à la plage en accrochant Aishpanu au passage. Je n'entendis que ces mots de Thierry : « Mahikan va le tuer ! »

Tous les habitants du poste se massèrent en haut de la terrasse pour suivre le déroulement du conflit. Aishpanu se fraya un passage jusqu'au centre du cercle formé sur la plage. Les hommes se dispersèrent quelque peu, ce qui me laissa entrevoir Mahikan en train de se défouler sur Portelance, toujours couché au sol. Le guide s'interposa entre les deux belligérants ; la distribution de coups cessa. Aishpanu se planta devant Mahikan et releva le menton. Un peu plus et leurs nez se touchaient.

Tandis que Poupart essayait, sans succès, de relever Portelance, Mahikan reprit ses imprécations devant Aishpanu qui, lui, ne bougea pas d'un pouce. Michaud s'agenouilla au sol et posa la tête de Portelance sur ses cuisses. Je ne pus retenir une exclamation à la vue du visage de l'interprète couvert de sang et de boue. Michaud dénoua le foulard qu'il portait à son cou et le tendit au Calumet pour qu'il le mouille. Mahikan semblait s'expliquer avec Aishpanu. Que se disaient-ils ? Le guide réussit par je ne sais quel miracle à calmer le redoutable agresseur. Pendant ce temps, avec toute la douceur que l'on aurait plutôt attribuée à une femme, Michaud nettoya tant bien que mal les plaies du blessé. Avant de remonter, Mahikan s'approcha de Portelance avec arrogance. Poupart et le Calumet se redressèrent, prêts à intervenir. Mahikan ne tenta rien. Après avoir longuement dévisagé sa victime, il lui cracha au visage et s'en alla. Lorsqu'il passa près de moi, il affichait ce visage impassible dont seuls les Indiens ont le secret.

La nuit était noire. Juste à côté de moi, la respiration régulière de Marie-Josèphe avait quelque chose de rassurant. Près de la tente, je percevais les murmures feutrés de quelques Montagnais et, dans le lointain, la vague mélodie d'un violon enterrée par des chants et des éclats de voix. Je ramenai ma couverture sous mon menton. L'odeur de fumée qui s'en dégageait ne me déplaisait pas, surtout que s'y ajoutaient les essences du sapinage qui me servait de matelas. Je n'avais aucune idée de l'heure qu'il pouvait être. Tout de suite après avoir soupé dans la maison du commis, j'étais revenue à ma tente, bouleversée par l'état de Portelance. Il avait passé la soirée couché dans le lit d'Aishpanu et n'avait rien voulu manger. Chacun de ses mouvements lui avait arraché un gémissement. Poupart était venu le voir, accompagné d'un guérisseur montagnais. Portelance avait protesté énergiquement :

— Je n'ai besoin de rien ! J'en ai déjà assez d'avoir à me supporter… Pas besoin d'en rajouter !

Poupart avait désigné le récipient d'écorce apporté par le guérisseur.

— En rajouter ? C'est un emplâtre fait avec du bois de queue de perdrix blanche ! Ça prend deux heures à préparer ! Tu ne vas pas commencer à faire ton difficile. Sinon, demain, ce sera toi, l'emplâtre. Et je ne veux pas de ça dans mon canot. Va falloir que tu sois en forme !

Sur les instructions du guérisseur, on avait retourné Portelance sur le ventre. Cette opération, pourtant simple, s'était révélée si douloureuse que j'avais préféré quitter les lieux. Une fois couchée, la fatigue avait eu raison de l'inquiétude et je m'étais endormie presque immédiatement. Maintenant éveillée, je n'arrivais plus à retrouver le sommeil. Je tendis l'oreille et reconnus la voix de Poupart. Décidée à avoir des nouvelles de Portelance, je drapai ma couverture sur ma chemise et cherchai à tâtons, dans le noir, la sortie de la tente. Une fois à l'extérieur, je distinguai quelques visages éclairés par la flamme rougeoyante d'un feu mourant. Aishpanu, Poupart, Michaud, Matshishkueu et trois autres Montagnais discutaient à voix basse. Tous, y compris les femmes, fumaient la pipe. Je m'éclaircis la gorge.

—Comment va Portelance ? demandai-je.

—On lui a fait boire du whisky blanc et il dort, me répondit Poupart. Aishpanu lui a laissé son lit pour la nuit. McIntosh viendra nous avertir s'il arrive quelque chose.

—Oui, il viendra nous avertir, répéta Aishpanu.

—Est-ce que ses blessures sont graves ? voulus-je savoir.

—Non... Il aura juste mal partout pendant quelques jours, me renseigna Poupart. Il a une mauvaise plaie dans le dos, mais rien de bien sérieux.

—Dans mon langage, on appelle ça une égratignure, ajouta Aishpanu.

J'hésitai un peu avant de poser une autre question.

—Avez-vous une idée de l'heure qu'il peut être ?

Le guide jeta un regard vers l'est. Aucune lueur n'était visible.

—Il n'est pas deux heures. Vous pouvez dormir encore. Il faut attendre la marée… Nous partirons pour Chicoutimi vers midi.

Il tira longuement sur sa pipe et exhala lentement la fumée dans sa main, qu'il promena ensuite sur ses cheveux. Ses yeux noirs brillaient dans la nuit. Il me fallut un peu plus de courage pour poser la dernière question qui me brûlait les lèvres.

—Pourquoi cet homme s'en est-il pris à Portelance?

—Pour les Sauvages, c'est une façon comme une autre de dire bonjour, me répondit Aishpanu.

—Ne vous moquez pas de moi.

—Alors, demandez vous-même à Portelance la réponse à cette question.

—Oui, je…

Ne sachant plus quoi dire, je retournai me coucher. Le violon s'était tu. Je n'entendais plus que les chuchotements des Montagnais et le bourdonnement des moustiques qui étaient entrés dans la tente. Je m'endormis, en dépit du bruissement insupportable de ces insectes qui en voulaient à mes oreilles, même enduites de graisse d'ours. J'avais maintenant l'habitude.

Quand je me décidai à me lever, les oiseaux chantaient depuis longtemps. Marie-Josèphe avait quitté la tente. Je m'habillai promptement, impatiente de prendre connaissance des nouvelles du matin et de voir où en étaient les préparatifs de notre départ. À la maison du commis, j'eus la surprise de me voir servir un chocolat. Collins affectionnait lui aussi cette boisson chaude et revigorante. Il y avait sur la table du pain, du beurre et même de la confiture.

Je préparai une tartine pour Portelance qui, assis sur le rebord du lit, semblait aller mieux. Il me sourit péniblement quand je m'approchai de lui.

—Je n'ai pas l'habitude de me faire servir…

—Encore moins par une jeune fille de la haute, j'imagine, lâcha McIntosh en sortant de la chambre du commis.

Le nouveau venu prit place sur le lit, à côté de Portelance. Je lui préparai aussi une tartine et portai à chacun une tasse de thé bien sucré. Au cours du voyage, j'avais constaté qu'ils le préféraient ainsi. Assise à table, Marie-Josèphe pestait parce qu'il ne restait plus de confiture. Collins alla fouiller dans son armoire et en sortit un autre pot.

—C'est mon dernier, soupira-t-il tristement.

—De la confiture d'amélanches, tu ne pourras pas en refaire de sitôt, affirma McIntosh.

—Je sais… Il n'y aura pas de fruits cette année.

Après avoir mangé toute sa tartine, Portelance
m'en réclama une autre.

— S'il vous plaît, mademoiselle, ajouta-t-il. Copeau
ne s'est toujours pas montré ?

— Il recommence ! le critiqua McIntosh, excédé.
Veux-tu bien arrêter, avec Lucien Campeau ?

Shaw et Blackwood arrivèrent du presbytère,
frais et dispos. Ils annoncèrent que le père Bélanger
se préparait à célébrer la messe. Michaud et Poupart
vinrent prendre des nouvelles de Portelance.
Soulagés de voir que leur interprète était capable de
se lever et de marcher, ils allèrent jusqu'à lui taper
dans le dos pour le faire crier un peu. Je sortis avec
eux, Portelance nous suivant péniblement. La baie
était toujours aussi noire et le ciel, toujours aussi
gris. Une nouvelle journée chaude s'annonçait. En
bas, des hommes s'affairaient déjà autour des canots
en vue du départ. Aishpanu restait invisible, mais je
reconnus Mahikan parmi eux. Peu désireuse d'assister aux retrouvailles entre lui et Portelance, je décidai de me rendre à la chapelle pour l'office divin.
Plusieurs Montagnais s'étaient déjà entassés à l'intérieur, attendant patiemment le début de la célébra-
tion. Point d'or et de faste dans la chapelle de
Tadoussac, mais beaucoup de foi et d'espérance. Les
Sauvages chantèrent plusieurs cantiques dans leur
langue. Jamais je n'aurais pensé qu'il existât pareil
chœur en ce pays ! La beauté de leurs voix m'émut

profondément. Je priai avec ferveur pour la réussite de notre voyage. Au souvenir des montagnes sombres et abruptes bordant le Saguenay, je n'hésitai pas à faire appel à la bonne sainte Anne pour que tous les voyageurs de la brigade s'en tirent sains et saufs. Je demandai même au père Bélanger d'inclure la santé de mon père dans ses intentions de prière.

À la sortie de la chapelle, l'immensité du fleuve me saisit d'angoisse. La terreur que m'avait inspirée le paysage ténébreux des portes du pays sauvage me revint, accompagnée du même mauvais pressentiment. Le Saguenay m'était apparu la veille comme une voie toute tracée vers le malheur et depuis, il hantait mon esprit. Un éclair de lucidité me foudroya sur place. Effrayée par ce qui m'attendait au bout du chemin, je résolus d'aller parler à Aishpanu sur-le-champ pour lui annoncer que je souhaitais rentrer à Québec. En trois ou quatre jours, une goélette me ramènerait au confort de la rue Saint-Stanislas, où je pourrais attendre sans risque des nouvelles de mon père et le retour de Richard. Je ne comprenais plus quelle folie m'avait poussée à partir. Je rejoignis la maison du commis au pas de course pour demander à Collins du papier et une plume. J'allais écrire à mon père pour lui exprimer mes profonds regrets et je confierais la lettre à Aishpanu. Si mon père était vivant, tout serait arrangé. S'il était mort, ma peine serait aussi grande à Québec qu'au fin fond des bois.

Comme j'allais entrer dans la maison, un appel retentit derrière moi.

—Mademoiselle!

Je me retournai. Thierry était sur mes talons. En quelques enjambées, il fut près de moi.

—Nous avons de la visite! Une barque est en vue, avec trois hommes à bord! On pense que ça pourrait être Copeau! Je viens chercher la lunette d'approche de Collins...

Dans sa précipitation, il me bouscula pour entrer dans la maison. Il en ressortit presque aussitôt, brandissant une longue-vue. Il se posta sur la terrasse surplombant le fleuve pour observer la barque.

—Je crois bien que c'est lui! cria-t-il à l'intention des hommes restés en bas.

Aishpanu sortit de la maison pour venir jeter lui aussi un œil dans la longue-vue.

—Oui! C'est bien lui! Quel malheur d'être aussi insouciant! se désola Aishpanu.

—Quoi, qu'est-ce qu'il y a? s'inquiéta Thierry.

Aishpanu lui rendit la longue-vue.

—Le clapot! grommela-t-il en se dépêchant de descendre vers la plage.

—Le clapot? demandai-je à Thierry.

—Oui, c'est un phénomène très dangereux. Quand la marée montante rencontre le courant du

Saguenay, il se forme des vagues étranges contre lesquelles personne ne peut lutter, pas même les marins les plus aguerris. Elles naissent sans prévenir, surgissant de nulle part et de partout à la fois...

Je le suivis dans la descente. Le fleuve paraissait plus calme que la veille et pourtant, on voyait au loin que la barque était secouée. Sa coque apparaissait, puis disparaissait au gré des vagues. Lorsqu'il fut suffisamment près pour qu'on l'entende, Copeau lâcha sa rame et mit ses mains en porte-voix.

—J'arrive!

—Il est fou! murmura le Calumet pour lui-même.

Le vent, les courants, tous les éléments se liguaient contre la fragile embarcation. On aurait dit qu'une force invisible la poussait irrémédiablement contre les rochers de la pointe de l'Islet.

—Remontez, torrieu! s'affola Poupart. Remontez!

—Qu'est-ce qu'ils font? Ramez, bon Dieu de bon Dieu! cria McIntosh.

Quand, enfin, ils ne furent qu'à une centaine de pieds du débarcadère, la tension baissa d'un cran. Debout dans la barque, complètement trempé, Copeau riait en faisant de grands signes avec ses bras. Michaud éclata:

—Vous auriez dû débarquer sur la batture de la pointe aux Vaches au lieu d'aller vous frotter au clapot! Bande de sans-dessein!

—On savait ce qu'on faisait! le rassura Lucien. On a juste attrapé le bord! Tu paniques pour pas grand-chose!

—Parce que tu penses nous avoir impressionnés? maugréa Michaud. Pauvre toi! Pas plus tard qu'hier, on a traversé de la pointe Noire vent contre marée! Et je peux te jurer que ça brassait autrement plus!

Copeau sauta à terre et vint arracher son bonnet à Michaud pour le taquiner. Il pinça les lèvres et fit semblant de lui envoyer des baisers dans les airs.

—Michaud! Mon Ti-Boubou! Tu t'es fait du mauvais sang à cause du méchant clapot? demanda-t-il comme s'il s'adressait à un bébé.

Michaud reprit son bonnet et le cala de travers sur sa tête, mécontent. Copeau continuait de rire. D'un beau rire franc, sans malice.

—Ris, va! pesta Michaud. Des fois, je me demande si tu ne serais pas mieux de consacrer le reste de ta vie à la traite des vaches et à la coupe des foins…

—Mon rêve! dit Copeau avant de lui donner une accolade.

—Et les amours? le questionna Aishpanu. Un peu plus et tu ratais la brigade. J'espère que ça en valait la peine… J'avais déjà choisi ton remplaçant.

—Ça avance, ça avance, répondit Copeau d'un air peu convaincu.

Le plus content de l'arrivée de Copeau fut Portelance. Avec difficulté, il se fraya un chemin à travers la brigade.

— Copeau ! appela-t-il.

— Portelance ! Ah ! Ça fait trop longtemps !

Ils se jetèrent dans les bras l'un de l'autre et s'embrassèrent sur les joues. Portelance attrapa les bords du col de la chemise de Copeau.

— Qu'est-ce que tu trafiquais à Trois-Pistoles ? demanda-t-il en le secouant vigoureusement.

Tous les témoins de la scène arboraient un sourire béat devant la joie des retrouvailles des deux amis.

Copeau ne fut pas long à remarquer les blessures de Portelance.

— Qu'est-ce qui t'est arrivé ?

— Laisse... Rien de bien grave... C'est Mahikan, chuchota Portelance.

Aishpanu avait recommencé à donner des ordres. En voyant Thierry et Plumeau entrer dans l'eau pour maintenir un canot en place pendant qu'on le chargeait, je me souvins que je devais absolument faire part de ma décision à Aishpanu. Je voulus aller avertir le guide, seulement Copeau choisit cet instant pour me barrer le passage. Avec ses cheveux courts et son chapeau de paille, il avait l'air d'un bon garçon de la campagne. Comme tous les habitants, il portait une culotte en laine du pays, une chemise en toile de lin grossière et des souliers de bœuf.

— Qui va là ? me questionna-t-il d'un air faussement sérieux.

— Ange-Élisabeth.

Je restai moi-même surprise de la familiarité de
ma réponse.

— Et où alliez-vous de ce pas décidé, Ange-
Élisabeth ?

— Parler au chef de la brigade.

— Ne voyez-vous pas que notre guide est occupé ?

— Elle parle trop, intervint McIntosh, qui suivait
de loin notre conversation en portant des ballots. Je
le lui ai déjà fait savoir.

— Ainsi, vous parlez trop… Ce ne sera pas pour
me déplaire. Moi aussi, j'ai le mérite de beaucoup
parler.

Copeau ne me laissa pas voir Aishpanu. Il m'en-
tretint plutôt de la mauvaise humeur de Michaud,
m'expliquant que ce dernier avait passé l'hiver à
s'ennuyer de Matshishkueu dans un chantier naval
sur la Saint-Charles.

— Et voilà qu'il doit maintenant la quitter à
nouveau pour une virée au lac Mistassini…

— Copeau, arrête de jacasser ! le somma Aishpanu.
Si tu veux te changer, c'est le temps !

Le guide s'arrêta devant moi avec un sourire à
peine perceptible.

— Que vouliez-vous encore me demander,
mademoiselle ?

Le mot «encore» me piqua. Derrière le guide, je voyais que tout se mettait en place pour la suite du voyage. Revint alors à ma mémoire la réaction des hommes dans les jours qui avaient précédé mon départ: les hésitations du notaire Grandbois, la surprise de Pierre-Antoine, les avertissements de Connolly et la désapprobation de Boulette. Allais-je leur donner raison en rebroussant chemin? Et puis, n'étais-je pas aussi capable que Marie-Josèphe Smith? Soudainement prise d'un accès d'orgueil, je décidai de rester.

—Oh! rien d'important!

—Vous en êtes certaine? Il n'est pas trop tard pour reculer. Le plus difficile reste à venir.

—Qu'est-ce qui vous fait croire que je voulais reculer?

—Avez-vous déjà oublié que je suis omniscient?

—Ce voyage ne me paraît pas si difficile!

—C'est que vous n'avez encore rien vu!

Pendant que Portelance enlevait ses mitasses en grimaçant de douleur, Mahikan, debout près de lui, ne cessait de lui parler à voix basse, dans sa langue. Il avait beau s'exprimer avec douceur, je devinais que ses propos étaient injurieux. Portelance faisait mine de l'ignorer complètement. Les hommes regardaient le ciel d'un air soucieux.

—Le vent n'arrête pas de virer de bord. Dieu fasse qu'on soit sur l'île Saint-Louis avant que ça tombe, souhaita Plumeau en se signant.

—Oiseau de malheur ! le rabroua Boulette. Ça fait des jours qu'on attend l'orage et on n'a pas reçu une goutte ! Moi, je dis qu'on arrivera à Chicoutimi secs comme des chicots !

Chipewyan secoua la tête.

—Ça se prépare… ça se prépare…

Il alla aider Portelance à grimper dans son canot. Copeau m'empoigna comme un vulgaire sac de farine et me porta jusqu'à ma place. Je criai de surprise, ce qui fit s'esclaffer tous les hommes.

—Bon Dieu que ça pèse sur un homme ces petites femmes-là ! laissa-t-il tomber en me déposant avec délicatesse dans le canot.

Il monta ensuite à côté de Portelance, juste devant moi. Derrière, McIntosh et Thierry riaient sous cape. Je me retournai.

—On ne rit pas de vous, mademoiselle, seulement de l'air que vous avez ! se défendit Thierry.

McIntosh se rengorgea de plus belle en entendant pareille bêtise. Découragée, je ne sus que répliquer. Derrière eux, Mahikan et Uapishtan échangeaient des regards. Avant d'embarquer, Aishpanu discuta navigation avec Poupart et le Calumet, nos deux gouvernails. Je compris qu'il nous faudrait longer la rive nord du Saguenay. Copeau se tourna vers Portelance :

—Qu'est-ce qu'il a, Mahikan ? l'interrogea-t-il à voix basse.

—Il a que j'ai couché avec sa femme.

—Mali Uapikun[1]?

—Celle-là même…

—Il faut être fou pour… Je veux dire, il n'aurait pas fallu qu'il sache.

—Qu'est-ce que tu penses! Que je suis allé lui faire des confidences? Je ne sais pas qui nous a trahis.

—Peut-être elle…

—Ça me surprendrait…

Un long silence s'installa entre les deux hommes.

—En tout cas, je ne donne pas cher de ta peau, le mit finalement en garde Copeau, sincèrement inquiet.

—Peu importe ce qu'il me faudra endurer pour avoir ici le souvenir de Mali Uapikun.

Portelance avait parlé en touchant sa poitrine. Il sortit de sa chemise ce qui devait être un pendentif. Malgré ma curiosité, je ne fis rien pour le voir. Je me sentais mal à l'aise d'entendre cette conversation intime. Je regardai autour de moi. Le père Dandurand et Marie-Josèphe étaient maintenant installés dans le *Madame*.

—*Wait!* Attendez! cria tout à coup Collins en prenant difficilement la descente avec un gros paquet dans une brouette.

---

1. Marie-Fleur.

94

—Quoi? Qu'est-ce qu'il y a? demanda Aishpanu.

—L'automne dernier, j'avais promis à la femme de Picote de lui envoyer ça…

Deux engagés le suivaient, tenant eux aussi des paquets.

—"Ça" étant les quatre paquets que je vois?

—Oui!

—Non! Hors de question! Nous sommes déjà surchargés. Et qui va transporter "ça" dans les portages?

—Je lui avais promis, Aishpanu. Elle a déjà payé ces marchandises. Tu ne peux pas refuser.

—C'est pour la femme de Picote?

—Oui! Et tu la connais! Mieux vaut ne pas la décevoir…

Aucun homme ne bougeait.

—Qu'est-ce que vous attendez? s'impatienta Aishpanu. Allez chercher les paquets!

Personne ne semblait disposé à retourner dans l'eau froide.

—Quoi! Il va falloir que je désigne quelqu'un?

Boulette se sacrifia. Il débarqua en ronchonnant et alla débarrasser Collins de son paquet pour le porter jusqu'au canot.

—Qu'est-ce qu'il y a là-dedans? C'est lourd en vinguienne! s'exclama Boulette en titubant comme s'il avait porté l'enclume d'un forgeron.

Aishpanu fronça les sourcils.

—C'est pesant?

—Faut croire que oui. Je peux pas mettre ça n'importe où, les charges vont être déséquilibrées!

—À ce point-là?

Boulette pouffa et lança le paquet plutôt léger dans les bras d'un Aishpanu soulagé. Personne ne fit écho à cette plaisanterie savoureuse. La morosité s'était installée chez les voyageurs. Une fois les autres paquets embarqués, plus rien ne pouvait retarder notre départ. Le père Bélanger, resté sur la rive, nous bénit. Aishpanu donna le signal et les canots se dirigèrent vers la pointe de l'Islet. Sur la plage, quelques engagés nous souhaitèrent un bon voyage. Debout sur la terrasse, Matshishkueu était seule.

Chapitre 5

L'aviron de tilleul

Après avoir contourné la pointe de l'Islet, les eaux se calmèrent et nous nous engageâmes sur le Saguenay. Tout comme la veille, la vue de cet affluent me broya les tripes. De son embouchure noire, je le voyais déjà me happer entre ses falaises vertigineuses et m'entraîner à jamais dans un monde inconnu. Plus nous avancions et moins j'étais rassurée. Les parois rocheuses des escarpements plongeaient dans la profondeur insondable des flots sombres, sans offrir aucun endroit où accoster. Du plus loin que je pusse voir, les berges se résumaient, de distance en distance, à quelques rochers inhospitaliers. Mieux valait ne pas avoir à fréquenter les abords du dangereux cours d'eau.

Copeau se retournait de temps à autre pour commenter le paysage.

—Regardez, mademoiselle ! Sur votre gauche ! Il y a deux marsouins[1] qui nagent ! Une mère et son petit !

J'eus tout juste le temps d'apercevoir l'éclair blanc de ce que j'aurais pris à tort pour un énorme poisson. Les deux marsouins refirent surface à quelques reprises, nageant tout près de nous. Dans un mouvement gracieux, ils présentaient leur dos blanc à notre regard. Ils nous suivirent ainsi sur une bonne distance, avant de disparaître. J'avais déjà entendu parler de ces animaux, sans jamais avoir eu l'occasion d'en observer. Je restai étonnée par le bonheur que cette vision m'inspira. Dès lors, je respirai plus calmement. Petit à petit, mes craintes s'amenuisèrent pour laisser place à la fascination, puis à l'admiration. Le Saguenay était époustouflant de puissance et de beauté.

Poupart entonna une chanson. À quelques vers près, les paroles étaient celles d'*À la claire fontaine*, mais chantées sur un air mélancolique qui s'accordait parfaitement à la grisaille du ciel et au bleu délavé du paysage :

À la claire fontaine
M'en allant promener
J'ai trouvé l'eau si belle

1. Bélugas.

Que je m'y suis baigné
La la la la la la
Fendez le bois, chauffez le four
Dormez la belle, il n'est point jour

Les hommes chantèrent, marquant le rythme de leurs coups d'aviron. Curieusement, pour une raison qui m'échappait, le cœur n'y était pas. L'*Emily* avait du mal à suivre le *Madame*. Souvent, Aishpanu se retournait, l'air préoccupé. Malgré les voix puissantes des voyageurs, on entendait toujours en bruit de fond la voix doucereuse de Mahikan. Au bout d'un moment, Portelance éclata :

—Arrêtez de chanter ! Mahikan veut me dire quelque chose ! Vas-y, Mahikan, je t'écoute !

D'une voix calme et posée, Mahikan servit à Portelance un petit discours. Son sourire était mauvais.

—C'est charmant ! ironisa Portelance. Vous voulez savoir ce qu'il raconte ?

—Je commence à en avoir assez, avertit Aishpanu. Nous ne sommes pas dans une position qui nous permette de discuter.

—Non, mais vous allez apprécier que je vous traduise. Mahikan dit qu'il y a un Blanc qui sent mauvais dans la brigade. Tellement qu'il doit se retenir pour ne pas vomir. Ce Blanc est si poilu que ses frères ne peuvent être que des chiens.

Tous les canotiers avaient cessé de ramer. Le Blanc dont parlait Mahikan n'était autre que Portelance lui-même, qui poursuivit sa traduction :

—Mahikan souhaiterait que ce Blanc quitte le canot dès à présent. Il voudrait avoir la satisfaction de le voir se noyer sous ses yeux. Parce qu'à son avis, un homme qui ne sait pas faire gémir les femmes ne mérite pas d'avoir de descendance.

Quelques rires étouffés se firent entendre. Debout à l'avant, Aishpanu poussa un long soupir exaspéré. Les deux embarcations étaient maintenant côte à côte. Portelance regarda Mahikan dans les yeux.

—Ta femme, elle n'a pas gémi, Mahikan, elle a hurlé ! Elle en a même redemandé !

Satisfait, Portelance se retourna. Mahikan devait comprendre le français, car il se pencha vers l'avant pour planter son aviron directement là où il avait lacéré le dos de Portelance la veille. Ce dernier ouvrit la bouche, sans faire entendre aucune plainte. Sa chemise se tacha de sang. Il voulut agripper l'aviron de Mahikan. Trop tard ! Les mouvements brusques des hommes firent osciller dangereusement le canot et McIntosh n'arrangea rien. Voulant empêcher Mahikan de recommencer son jeu cruel, il lui arracha son aviron des mains. Une lutte s'ensuivit. Au final, l'aviron tomba à l'eau et McIntosh reçut un coup au visage. Le sang ruissela de son nez. Tout allait si vite que je n'eus même pas le temps d'avoir peur. Poupart en était à tenter d'immobiliser Mahikan lorsqu'un grand cri saisit tout le monde.

C'était Aishpanu. Sa voix roula contre les falaises de roc et nous revint en écho. D'abord une, puis deux fois. Plus personne ne bougeait.

—La menace me répugne, mais vous ne me laissez pas d'autre choix. Le prochain qui s'en prend à un membre de la brigade se verra rayé de la liste de rappel de Connolly. Portelance, une fois arrivés à l'anse Saint-Jean…

Aishpanu suspendit sa phrase. Quand il était agacé, son léger accent traînant était plus prononcé.

—Au train où ça avance, nous serons tout juste capables d'atteindre l'île Saint-Louis avant la tombée de la nuit… De toute façon… Peu importe où nous passerons la nuit, il faudra que je te parle.

Poupart tendit un aviron de surplus à Mahikan et Thierry donna un mouchoir à McIntosh. En silence, nous reprîmes notre route, minuscules dans ce panorama de début des temps ou de fin du monde. Aishpanu laissa à peine le temps aux hommes de fumer durant la journée. La soupe fut mangée froide dans les canots et quelques biscuits de mer circulèrent. Aucune vraie pause ne fut accordée et nous accostâmes à l'île Saint-Louis au coucher du soleil.

Exténués, les hommes exécutaient au ralenti les tâches qui leur étaient assignées. Au lieu de les regarder faire comme d'habitude, je décidai de les aider à préparer le campement pour la nuit. Portelance ne put rien faire d'autre que de s'étendre sous l'un des canots. Aishpanu alla le voir pour lui parler. De mon côté, un peu secouée par les événements de la journée, je ne savais plus où était ma place. J'hésitais à aller rejoindre Marie-Josèphe et le père Dandurand, qui discutaient de la meilleure façon de soigner les maux de tête. J'optai finalement pour aller m'asseoir en retrait.

— Hein, que je l'avais dit ! Pas une goutte ! renota Boulette en passant près de moi les bras chargés de bois sec.

Il se préparait à allumer le feu. Copeau vint s'asseoir près de moi.

— Ça va, mademoiselle ?

— Oui… Non… Je ne sais plus…

Prise entre deux hommes prêts à se tuer, ma journée s'était déroulée dans la peur. Entre autres épreuves, j'avais dû uriner par-dessus bord sous les yeux de tous ces messieurs. Je me sentais sale, les insectes étaient infernaux et la faim me tenaillait. Je devais pourtant me faire une raison. Dans la grande marmite de cuivre de Thierry, rien d'autre ne cuirait que l'écœurante bouillie de maïs habituelle.

— Vous n'êtes sans doute pas trop habituée à voir des hommes se battre, déduisit Lucien. Il ne faut pas vous en faire. Ça arrive, vous savez.

Il me tendit sa pipe allumée.

—Tenez, fumez! C'est âcre au début, mais une fois qu'on est habitué, ça adoucit les peines. C'est le baume du cœur!

À la première tentative, je ne réussis qu'à m'étouffer. Je ne me décourageai pas et, comprenant que je ne devais pas essayer de respirer la fumée, j'arrivai finalement à tirer quelques bouffées sans tousser.

—Ça va mieux? s'enquit Copeau.

—Je ne saurais vous le dire.

—Alors, ça ira mieux demain.

Il me tapota la cuisse pour m'encourager. Son geste était naturel et n'avait rien d'insultant.

—Souris, un peu! me lança-t-il en se levant. Je vais aller voir Portelance, Aishpanu vient de le lâcher.

Voilà que Copeau passait déjà au tutoiement. Je restai interdite. Le jeune homme se rendit auprès de son ami. Il n'y resta que quelques instants.

—Il n'est pas de bien bonne humeur, le Jean-Cyrille, me rapporta-t-il en se rasseyant par terre, à mes côtés.

—Sais-tu ce qu'Aishpanu lui a dit? lui demandai-je en faisant exprès de le tutoyer moi aussi.

—Non! Ça ne devait pas être joli, par exemple! Il a dû lui faire la morale. Portelance se demande si Aishpanu n'est pas à la veille de se faire prêtre. Aishpanu prêtre…

Il se mit à rire en secouant la tête.

—Pauvre Mahikan, continua-t-il. Comme il doit souffrir d'être prisonnier de cette île.

—Pourquoi penses-tu cela?

—S'il avait son canot, ça ferait longtemps qu'il nous aurait quittés, avec Uapishtan, pour gagner Métabetchouan. Il ne devait pas savoir que Portelance serait de la brigade pour le lac Mistassini.

—Je serais fort heureuse qu'il parte.

—Oh! Il n'est pas plus mauvais qu'un autre. Il faut se mettre à sa place. Les Indiens sont fiers. Ils n'ont pas de pardon pour ceux qui les humilient.

Je méditai les paroles de Lucien en cherchant Mahikan des yeux. Dans l'obscurité grandissante, je le repérai en retrait du campement, debout, adossé à une épinette. De profil, ses longs cheveux cachaient son visage et je le reconnus plutôt à sa chemise indigo. Il travaillait machinalement un bout de bois avec son coutagan[2]. Lucien avait suivi mon regard.

—Une chose est sûre, Aishpanu ne le remettra pas dans le même canot que Portelance, conclut-il.

Ma bouillie me fut apportée par un Aidrian tout souriant. Je le remerciai et l'invitai à s'asseoir avec moi. Quand le temps nous le permettait, je l'aidais à apprendre le français. Depuis Québec, il avait fait beaucoup de progrès. Il connaissait l'alphabet, ce

2. Aussi appelé «couteau croche», le coutagan est fabriqué avec une lame de métal incurvée sur le plat et insérée dans un manche, courbe lui aussi.

qui rendait la chose plus facile. Avec un bâton de bois, j'écrivais des mots simples sur le sol et il les répétait. Les hommes de la brigade avaient rapidement adopté ce brave garçon. En plus de quelques jurons bien canadiens, ils lui avaient enseigné tous leurs travers. Aidrian crachait maintenant pour un oui ou pour un non. Dès qu'il en avait l'occasion, il allumait la pipe qui lui avait été offerte le jour de son baptême de voyageur. Mais il se forçait à fumer. J'en étais presque certaine pour l'avoir surpris à grimacer entre deux bouffées. Bien qu'encore freluquet vu son jeune âge, il avait adopté la démarche et l'attitude viriles des hommes des bois. Boulette lui avait montré à charger une arme et à tirer. Quant à McIntosh, il s'était mis en devoir d'instruire Aidrian de tout ce qu'un homme devait savoir à propos des femmes. Pour ce faire, il avait pu compter sur l'entière collaboration de Portelance. Les deux hommes avaient pris un malin plaisir à faire rougir l'Irlandais lors de messes basses en anglais auprès du feu.

Je mangeai par devoir, sans grande conviction. Mon écuelle contenait en prime quelques cailloux et un bout de ficelle. Avaient-ils cuit avec le reste? Ces découvertes achevèrent de m'écœurer. Ce soir-là, j'eus de la difficulté à m'endormir. À intervalles réguliers, j'ouvrais les yeux pour m'assurer qu'Aishpanu était toujours là. De toute façon, il n'aurait pas pu aller bien loin. Assis sur le sol à la manière des Sauvages, il veillait, seul, la tête entre les mains.

～

Dès l'aube, les embarcations furent remises à l'eau. Une brume légère entourait l'île d'un halo surnaturel. L'air lourd et humide était étouffant. En attendant que le chargement soit terminé, je luttai tant bien que mal contre les moustiques de plus en plus féroces. Portelance avait pris du mieux. Il vint même me chercher pour me porter à ma place. Sans crier gare, il me donna une bonne tape sur les fesses.

—Pardon, mademoiselle! Vous alliez vous faire piquer par un frappe-à-bord!

Cela fit beaucoup rire les hommes. Un peu fâchée, je m'abandonnai néanmoins à ses bras. Comme l'avait prédit Lucien, Aishpanu avait pris soin de réaménager la position des canotiers. Marie-Josèphe se retrouva à mes côtés. Tout de suite, elle engagea la conversation. Je l'écoutai discourir, mais j'étais déçue de ne plus pouvoir suivre les conversations entre Lucien et Portelance. Alors que nous prenions de la vitesse, elle attaqua un sujet que je redoutais.

—Avez-vous un fiancé, mademoiselle?

—Je crois bien que oui…

—Vous croyez en avoir un ou vous en avez un?

Je ne voulais pas entamer une conversation aussi personnelle avec une femme que je connaissais à peine. Je sentais son regard inquisiteur peser sur moi. Elle attendait une réponse. Lucien se retourna le temps de me faire un clin d'œil. Avait-il entendu la question?

—Je… je…, balbutiai-je.

—Je vois! Vous avez des petits secrets! Remarquez, c'est normal à votre âge. Quand on approche des vingt-cinq printemps, la question devient délicate.

La colère m'envahit.

—Je n'ai que dix-huit ans! Et je puis vous assurer que ce ne sont pas les fiancés qui manquent!

—Oh! s'écria-t-elle, surprise. Je vous prie de bien vouloir m'excuser… J'ai cru que vous étiez plus âgée…

Le fait qu'elle semble sincèrement désolée ajoutait à mon irritation. Comment avait-elle pu me prendre pour une vieille fille? J'aurais de loin préféré qu'elle fasse exprès de se tromper, par simple méchanceté. Or, sa surprise me paraissait authentique. Maussade, je m'intéressai au paysage, espérant que Marie-Josèphe laisse tomber.

—Je me disais aussi ! continua-t-elle. Ainsi donc, vous avez plusieurs fiancés ?

Lucien et Portelance ne manquèrent pas de se retourner à demi pour me taquiner.

—Plusieurs fiancés, mademoiselle ? Ce n'est pas sérieux ! me sermonna Lucien. Il faudrait en laisser quelques-uns aux autres jeunes filles !

—J'ai toujours trouvé les demoiselles de Québec un peu légères, ajouta Portelance. Votre comportement me prouve que j'avais raison. Un jeune homme avec plusieurs fiancées, passe encore. Mais une jeune fille avec de nombreux amoureux ?

Tous deux riaient en avironnant. Au loin, par-delà les brumes, un orage matinal grondait.

—Je n'en ai qu'un ! m'écriai-je pour les faire taire. Qu'est-ce que vous croyez ?

Marie-Josèphe tenta de me calmer.

—Ne vous mettez pas dans cet état pour les vulgarités de deux canotiers !

Elle poursuivit en chuchotant.

—Votre fiancé ne doit pas être content de vous savoir dans les bois avec des voyageurs…

—Il n'en sait rien.

—Comment cela ?

Je compris que je venais de commettre une erreur. Il était maintenant trop tard pour reculer devant les questions que ma réponse ne manqua pas de susciter. Je cherchai une façon élégante de mettre un terme à la conversation.

— Il est au loin.

— Au loin où ?

— Outre-Atlantique.

— En Angleterre ?

— Oui.

— C'est un Anglais alors ?

— Non.

— Un Canadien, donc !

— Oui.

— Vu votre nom, il a de la fortune, j'imagine…

Je ne répondis rien. Elle continua néanmoins de me bombarder de questions.

— Il ne sait rien de votre équipée en pays sauvage ? Vous ne lui avez pas écrit ce printemps ?

— Il faut croire que non.

— Comme c'est curieux…

— Ce n'est pas curieux, c'est compliqué.

— Je fréquente plusieurs cercles de la Haute-Ville. Je suis à peu près certaine de connaître votre fiancé. Allez, dites-moi son nom.

Moi aussi, j'étais certaine que Marie-Josèphe connaissait les Guyon de nom. Comme toute la ville de Québec et ses environs, d'ailleurs. Mais le fait qu'elle ignore tout des relations existant entre cette famille et les Boucher de Montizambert m'en disait long sur la disparité des cercles que nous

fréquentions. Voyant que je restais muette, elle
chercha à me faire parler autrement.

—Bon, bon, je n'insiste pas. Je dois tout de
même vous mettre en garde. Si vous n'avez pas jugé
opportun d'envoyer une lettre à votre fiancé dès
l'ouverture de la navigation, c'est que vous n'êtes
pas amoureuse.

Comment cette femme osait-elle ? Sans réfléchir,
je me lançai dans des explications primesautières
visant à lui prouver mon amour pour Richard :

—Il sera de retour à Québec cet été ! Je lui ai
bien écrit, simplement, il n'aura ma lettre qu'à son
arrivée au mois d'août ! Nous sommes fiancés depuis
toujours et je l'aime plus que ma vie ! Il est parti
depuis des années. J'habitais chez sa mère, qui est
morte maintenant. Et voilà que j'apprends que mon
père a peut-être quitté ce monde lui aussi. Bien
d'autres malheurs m'ont frappée et en dépit de
toutes ces épreuves, nous allons nous marier. Il me
l'a écrit, je connais sa lettre par cœur… De grâce,
madame, ne présumez jamais plus de mes sentiments pour Richard Philippe Guyon !

Dans l'énervement, je venais de divulguer le nom
de mon seul amour. Tout en parlant, je sortis de
mon réticule la dernière lettre de Richard et la
brandis sous le nez de Marie-Josèphe. Un formidable coup de tonnerre résonna avec une puissance

que décuplèrent les hautes murailles de pierres qui nous entouraient.

—Richard Philippe Guyon? répéta Marie-Josèphe, les yeux écarquillés.

Tout de suite elle se radoucit et chercha à me flatter. Toutefois, ses paroles ne me furent d'aucun réconfort.

—Eh bien! Si j'avais su, mademoiselle… Il est beau, à ce qu'il paraît. Vous en avez, de la chance. Comme il a dû vous écrire de belles lettres! Moi aussi, j'ai été séparée de mon mari pendant quelques années avant notre mariage. Il m'écrivait tous les jours! Je recevais ses lettres par groupe de trente! Pour ce qui est de l'ennui, je crois que les hommes sont pires que les femmes. Encore aujourd'hui, pendant les longs mois d'hiver, il m'écrit plusieurs fois par mois. C'est moins qu'avant, mais c'est mieux que rien.

Elle réfléchit quelques instants avant de poursuivre.

—Il ne faut jamais oublier que c'est avant le mariage que les hommes sont à leur meilleur.

Un fort vent d'ouest se leva. Les eaux s'agitèrent presque instantanément. Cela n'empêcha pas Marie-Josèphe de continuer de parler. Elle éleva la voix pour se faire entendre.

—Pour savoir si Dieu approuve un mariage, c'est facile. Si on a fait le bon choix, toutes les épreuves s'aplanissent d'elles-mêmes. Dans le cas contraire, le malheur guette et l'allée qui mène au pied de l'autel s'en trouve semée d'embûches.

Je levai les yeux vers le ciel. Il était noir. Les roulements du tonnerre résonnaient d'une rive à l'autre et les vagues grandissaient à vue d'œil. Il ne pleuvait pas encore, bien que l'orage fût sur nous. Instinctivement, je tournai mon regard vers la rive où quelques maigres arbrisseaux, accrochés comme par miracle aux rochers qui les nourrissaient, étaient couchés par le vent, battus par les bourrasques de plus en plus violentes. Une peur panique me saisit au ventre. Aishpanu criait des ordres. Je compris la gravité de la situation quand une vague, puis une autre se déversèrent dans l'*Emily*. D'un même geste, McIntosh et Thierry arrachèrent l'écuelle qui pendait à leur ceinture pour se mettre à écoper. Le *Madame* était en toute aussi mauvaise posture. La voix de Boulette dominait le vacarme de la nature déchaînée:

— Je l'avais dit, qu'on était trop chargé! Je l'avais donc bien dit! rugissait-il.

Les canots avaient changé de direction et se rapprochaient de la rive. Nous foncions tout droit dans les rochers aux arêtes vives d'une anse minuscule. Une pluie mêlée de grêle s'abattit sur nous sans crier gare. Elle tombait si dru que c'est à peine si je vis Aishpanu sauter sur les rochers. Le ciel tombait littéralement sur nos têtes. Si agile qu'il fût, notre guide, dans ses efforts pour retenir la pince du canot, glissa et tomba durement sur les genoux. Lucien et Portelance le rejoignirent pour lui prêter main-forte. Une fois débarquée, je dus marcher à quatre pattes tant les pierres sur lesquelles nous devions nous déplacer étaient anguleuses et glissantes. Aishpanu me fit grimper sur ses épaules afin que je puisse atteindre une corniche naturelle où presque toute la brigade s'entassa. Rien, malheureusement, ne nous protégerait de la pluie.

En contrebas, Aishpanu déchargeait les canots pour les sortir de l'eau. Il était aidé de Boulette, Michaud, Poupart et du Calumet. Les mouvements désordonnés des flots menaçaient à chaque instant de fracasser contre les rochers les fragiles coques en écorce de nos embarcations. Et pour comble, la marée montante, un atout pour remonter le puissant courant du Saguenay, transforma notre situation en véritable cauchemar. En une vingtaine de minutes, le niveau de l'eau avait suffisamment monté pour recouvrir le roc sur lequel s'appuyaient les hommes pour travailler. Aishpanu se tourna vers nous pour demander quelque chose. Son cri se perdit dans le fracas de l'orage. Il se reprit, les mains en porte-voix :

— Il me faut trois hommes de plus pour sortir les canots !

Aidrian, Portelance et Tshinisheu dégringolèrent plus qu'ils ne descendirent la paroi rocheuse qui menait au bord de l'eau. Je notai qu'en tombant, Aishpanu s'était ouvert le genou. Il prit le temps d'attacher un foulard autour de sa plaie et attrapa ensuite la pince de l'un des canots. Les hommes durent compter avant de les soulever, car je remarquai l'imperceptible balancement de leur corps juste avant l'effort. Au moment où ils hissèrent les canots hors de l'eau en reculant, Aidrian glissa sous l'un d'eux, tomba sur les reins et fut emporté par le ressac. L'espace d'un instant, nous le vîmes se débattre à quelques pieds à peine des rochers. Malgré l'urgence de la situation, les hommes durent prendre quelques secondes pour déposer les canots avant de secourir Aidrian.

—Sang de Christ! hurla Boulette en courant chercher une corde.

Les cris du garçon étaient insoutenables. À côté de moi, Marie-Josèphe se mit à pleurer. Elle se boucha les oreilles et se retourna pour appuyer son front contre la paroi rocheuse de la montagne. Au risque de sa vie, Aishpanu entra dans l'eau. Il se retint d'une main à la saillie d'une pierre et tendit ses pieds à Aidrian, dans l'espoir qu'il puisse en attraper un. Mahikan se précipita en bas de la corniche, attrapa l'aviron de Michaud, le plus long de tous, et le tendit aussi loin qu'il put vers le malheureux garçon. Corde, chicot, perche... Toutes les tentatives échouèrent.

Aidrian disparut dans les ondes noires une pre-mière fois. Le courant l'éloignait de plus en plus. Lorsqu'il remonta à la surface, son visage n'était que terreur. Submergé par les vagues, il criait avec l'énergie du désespoir.

— *Help ! Please ! Please*[3] *!*

Puis les cris abominables d'Aidrian cessèrent. À travers la pluie, j'aperçus une dernière fois sa main blanche qui émergeait des flots. Aishpanu esquissa un mouvement vers elle, comme s'il se préparait à plonger pour aller l'attraper. Poupart le retint. Spectatrice impuissante du drame horrible, je ne pus retenir davantage mes larmes.

Jusqu'à la fin de l'averse, aucun mot ne fut pro-noncé. Trempés de la tête aux pieds, nous attendions tous les ordres d'Aishpanu. L'attente fut longue. Petit à petit, il ne resta de l'orage que quelques échos. Sur un signe discret du guide, Ush fut le premier à bouger. Il inspecta minutieusement l'état des canots. Sans aucun entrain, la mort dans l'âme, les hommes, encore hébétés, rechargèrent les embarcations. Aishpanu devenait nerveux dès que l'un des voyageurs se rendait coupable de mala-dresse ou d'imprudence en bordure de l'eau. Juste avant de repartir, Boulette prit l'aviron d'Aidrian et alla l'appuyer contre la paroi rocheuse. Le père

---

3. À l'aide ! S'il vous plaît ! S'il vous plaît !

Dandurand fit une prière pour le noyé et nous nous éloignâmes de l'anse sinistre.

Plusieurs fois, je me retournai. Le bois clair de l'aviron de tilleul se détachait contre l'obscurité des rochers mouillés. Longtemps, je distinguai sur la palette les ondulations noires peintes par Aidrian deux jours auparavant.

Chapitre 6

Trop de sirop de Barbade

Nous atteignîmes Chicoutimi deux jours plus tard, vers l'heure du midi. Il nous avait fallu composer avec de nombreux orages et un noroît obstiné. Au fil de l'eau cependant, le paysage avait fini par reprendre une échelle plus humaine, presque rassurante. Les montagnes s'étaient adoucies en bordure du Saguenay et les berges s'étaient allongées, comme par magie. Et puis soudain, des tentes dressées sous de gigantesques pins s'étaient offertes à notre vue.

— Les Sauvages sont arrivés au cap Saint-François ! avait constaté Lucien.

Après les dures épreuves de la remontée du Saguenay, ces quelques signes de présence humaine avaient suffi à combler les hommes d'un bonheur qui aurait pu, en d'autres circonstances, paraître excessif. Ils avaient salué les Indiens avec force cris. Certains s'étaient même levés dans le canot en agitant bonnets et foulards.

—On y est presque, mademoiselle ! ajouta Portelance. Surveillez l'autre rive !

Heureux, les hommes accélérèrent la cadence. Un peu plus loin sur ma gauche, la vue du modeste clocher d'une petite église gonfla mon cœur d'une joie immense, empreinte de soulagement et de reconnaissance.

Outre la chapelle et le presbytère, le poste de Chicoutimi se composait d'une maison, d'un magasin, d'une étable et de quelques autres petits bâtiments. Comme à Tadoussac, toute une délégation vint nous accueillir : quelques hommes, plusieurs enfants, trois chiens et même un cochon curieux.

—Aishpanu ! cria un jeune homme en culotte, chemise de lin et mocassins.

—*Kuei*, Gilbert ! le salua Aishpanu. Encore en train de garder les enfants ?

Gilbert, qui était visiblement le commis du poste, leva les yeux au ciel.

—Oui ! Perrault est parti pêcher aux Terres-Rompues avec son plus vieux. Il m'a laissé les autres…

Les enfants, trois garçons et deux filles, n'éprouvaient apparemment aucune timidité. Les deux plus grands sautèrent sur Tshinisheu pour le rouer de coups. Ce dernier, malgré la fatigue des derniers jours, entra dans le jeu de bonne grâce et se défendit du mieux qu'il le put. Lorsqu'il se retrouva couché par terre, Mahikan et Uapishtan lui vinrent en aide.

—Ils ont grandi ! nota Aishpanu en ricanant. Où est Geneviève ?

—Elle est restée à la rivière, avec son dernier. Encore un garçon !

—Oui, j'ai eu la nouvelle à Tadoussac. Il paraît que vous avez été malades, cet hiver ?

—On s'est craché les poumons chacun notre tour, jusqu'en mars.

Tout en marchant vers la maison, Gilbert se retourna à quelques reprises pour observer la brigade en train de décharger les canots.

—Vous avez l'air bien abattus !

—On a perdu un homme...

—Torrieu ! Qui ?

—Tu ne le connaissais pas. Un Irlandais. Aidrian Fitzbay. Il avait seize ans. C'était un orphelin bien courageux que McIntosh avait pris sous son aile. Il était parti de Québec pour devenir apprenti au nouveau poste du lac Mistassini.

—Comment c'est arrivé ?

Aishpanu relata au commis l'horrible tragédie.

—Dieu ait son âme ! fit Gilbert en se signant à la fin du récit.

—As-tu eu des nouvelles du lac Chamouchouane ? le questionna Aishpanu.

—Non ! Théo Bédard, le nouvel engagé du poste de Métabetchouan, est passé par ici pour aller chercher de la farine à Tadoussac. Il n'avait encore vu personne d'en haut, le lac venait de caler! Sinon, rien. Tout le monde allait bien à Métabetchouan…

L'air était bon et il faisait beau. Le commis m'invita, ainsi que Shaw, Blackwood, Aishpanu, le père Dandurand et Marie-Josèphe, à nous asseoir devant la maison. Des bûches et des troncs renversés avaient été rassemblés autour d'un emplacement pour faire du feu.

—Il est quand même arrivé quelque chose de bizarre la semaine dernière, commença Gilbert, d'un air préoccupé. Un soir, deux canots sont passés par ici, mais sans s'arrêter. Je n'ai jamais vu ça! Ils ont filé tout droit.

—Ils ont passé tout droit? demanda Aishpanu en redressant la tête. Ils remontaient le Saguenay?

—Oui, ils remontaient…

—Ils se rendaient au Pekuakami[1]?

—Est-ce que je sais? Je les ai interpellés, mais aucun des hommes à bord ne m'a répondu.

—Dans des canots de maître[2]?

—Non, dans deux canots indiens[3].

—Ils étaient combien?

---

1. Nom d'origine du lac Saint-Jean, ce mot signifie «lac plat».
2. Grand canot d'écorce pouvant mesurer jusqu'à douze mètres de longueur.
3. Petit canot d'écorce léger et rapide, adapté à la navigation en rivière.

— Dans la pénombre, j'ai compté quatre hommes, dont un Sauvage. Aucun pavillon ne permettait de les identifier.

— Un Sauvage, tu es sûr ?

Aishpanu réfléchit un peu avant de poursuivre.

— Ça me surprendrait. Aucun des miens ne serait assez fou pour monter au lac par le Saguenay avec le printemps que nous avons eu.

— Je suis pourtant presque sûr qu'il y avait un Sauvage parmi eux, insista le commis. À cause de son coup d'aviron. Ils n'ont pas dû coucher bien loin d'ici. Je me demande où ils se rendaient ! Leur route doit forcément passer par le lac Saint-Jean ! Alors pourquoi éviter le passage du lac Kénogami[4] ?

— Ils se cachent. Ils n'ont pas arrêté à Tadoussac non plus. Sinon, j'en aurais entendu parler par Collins. Tu n'as rien remarqué d'autre ?

— Écoute… Pour tout te dire… Je crois bien avoir reconnu Soucy.

— Soucy ?

— Je te jure ! Avec ses cheveux frisés, il est difficile à manquer ! Les deux autres avaient l'air d'avoir les cheveux courts.

Aishpanu appuya ses coudes sur ses genoux. Je vis que ses mocassins étaient troués.

---

4. Pour contourner les nombreux rapides de la rivière Saguenay, entre Chicoutimi et le lac Saint-Jean, les Amérindiens et les voyageurs passaient par le lac Kénogami.

—Ce devaient être des hommes de la HBC, supputa-t-il enfin.

—Soucy à la Hudson's Bay Company? Allons donc! s'écria le commis.

—Le bourgeois n'a pas été tendre avec lui, expliqua Aishpanu. J'étais là quand il a démis Soucy de ses fonctions.

—C'est vrai que Connolly n'y va pas de main morte quand il est en colère... Tu penses quoi?

—Que Connolly a fait une erreur et que Soucy cherche à se venger.

—Et qu'est-ce qu'il viendrait faire par ici?

Aishpanu ricana.

—La traite des fourrures, tiens!

—Pourquoi la HBC enverrait-elle des hommes dans le nord par l'intérieur des terres? S'ils allaient rejoindre leur poste de Mistassini, ils n'avaient pas l'air bien chargés. Et de toute façon, la HBC ravitaille ses postes à partir de Fort Rupert[5].

—Ils ont ouvert un nouveau poste l'an dernier, sur le territoire des Mistassins, entre les lacs Chamouchouane et Mistassini. Rush Lake Post[6],

---

5. Aujourd'hui le village de Waskaganish, situé au sud de la baie James (à l'époque, les postes de la Compagnie de la Baie d'Hudson étaient ravitaillés par des bateaux dont la route empruntait le détroit d'Hudson, puis la baie du même nom).

6. Poste de traite de la Compagnie de la Baie d'Hudson, situé plus au nord, sur les rives de l'actuel lac Chevrillon, près de la ville de Chibougamau.

qu'ils l'appellent. Et ce n'est pas tout! J'ai bien l'impression qu'ils veulent aussi vous faire de la concurrence du côté de Waswanipi.

—S'ils voulaient se rendre à Waswanipi, ils auraient passé par le fort Témiscamingue, non?

—Peut-être bien...

Les deux hommes restèrent silencieux quelques instants. Puis Gilbert se leva.

—S'ils veulent la guerre, ils vont l'avoir! affirmat-il d'un ton résolu avant de cracher par terre. À leur place, je resterais bien caché dans le bois. La HBC n'est pas la bienvenue par ici. Qu'elle reste autour de la baie dont elle porte le nom! À ceux qui viendront jouer sur le terrain des Nor'westers[7], je souhaite bien de l'agrément. Tiens! Ça me fait penser qu'il faudrait que je plante un mât pour hisser les couleurs de la Compagnie...

Aishpanu ricana à nouveau.

—Le terrain des Nor'westers... Le terrain des Nor'westers... Vous me faites bien rire, vous, les Blancs.

—Attends, Aishpanu! s'enflamma Gilbert. Tu ne fais pas de différence entre nous et la HBC? Toi qui es guide pour la Compagnie du Nord-Ouest depuis tant d'années?

Aishpanu retira ses mocassins.

---

7. Membres de la Compagnie du Nord-Ouest.

—Je n'appartiens à personne. La HBC ou les Nor'westers, c'est du pareil au même.

—Quoi ? s'indigna Gilbert.

—On ne va pas recommencer ! Je ne te dirai jamais ce que tu veux entendre à ce sujet. Tu ne peux pas me demander de penser comme un Blanc.

—Ah ! Nous y sommes ! Avoue-le donc que tu en as contre les Blancs !

Aishpanu se leva pour venir se planter devant le commis.

—Les Blancs me laissent indifférent.

—Et les Blanches ? Il paraît qu'à une certaine époque, elles ne te laissaient pas de glace.

Cette réplique toucha une corde sensible du cœur d'Aishpanu. Un moment, j'eus peur de la suite des choses parce qu'il avança d'un pas, le visage impassible. Gilbert soutint son regard, avant de finir par baisser les yeux.

—Tu as un noble cœur, Gilbert. Aussi, je ne te tiendrai pas rancune de ces paroles, conclut finalement Aishpanu en plaçant amicalement sa main sur l'épaule du commis.

—Bon ! s'inclina Gilbert, un peu honteux, et surtout soulagé de pouvoir clore l'épisode.

Aishpanu brisa le silence qui s'installait entre eux.

—Est-ce qu'il te reste des mocassins dans ton magasin ? Les miens sont finis, dit-il.

—Oui, viens !

Avant de s'éloigner avec Aishpanu, le commis se retourna.

—Un peu de patience et je suis à vous, dit-il à notre intention.

Mahikan traversa alors la place, chargé de deux sacs et armé jusqu'aux dents. Sur ses talons, un homme transportait sur ses épaules un canot beaucoup plus petit que ceux dans lesquels nous avions voyagé jusqu'à maintenant. Sa tête disparaissait sous l'embarcation, si bien que je me demandai comment il faisait pour voir où il allait.

—Hé! Qu'est-ce qu'ils font? se récria Gilbert.

—Mahikan et Uapishtan rentrent tout de suite à Métabetchouan, lui annonça tranquillement Aishpanu comme si la situation n'avait rien d'extraordinaire.

—Ils ont pris un des canots de la Compagnie! s'énerva Gilbert.

—Et alors? Ils rentrent simplement un jour plus tôt que prévu. Ce n'est pas moi qui irai les dénoncer à Connolly pour rupture de contrat. Ce canot se serait rendu dans les hangars de Métabetchouan de toute façon.

Gilbert soupira.

—C'est toi qui vois comment gérer ta brigade…

—En effet.

—Quand même, tu aurais pu essayer de les retenir!

— Pour quelle raison, si je n'ai plus besoin d'eux ?

— Plus besoin d'eux ? C'est sûr que chargés comme vous l'êtes, deux paires de bras supplémentaires pour traverser la douzaine de portages qui mènent à Métabetchouan auraient été parfaitement inutiles, ironisa le commis.

Il eut un rire sans joie avant de se remettre en marche vers le magasin. Il se retourna vers Aishpanu, resté sur place.

— De toute façon, c'est bien connu ! Les Sauvages n'ont que faire des règlements ! blagua-t-il.

Aishpanu ricana avant de répondre.

— Ils n'ont que faire des règlements des Blancs ! C'est une nuance qu'il ne faudrait pas oublier.

— Je crois plutôt que vous vous fichez des règlements tout court ! Je commence à me faire une raison.

— À quel propos ?

— Les Sauvages n'en font qu'à leur tête. Impossible de les faire bouger s'ils n'en voient pas l'utilité.

— Pourquoi faire des choses inutiles ? lui rétorqua Aishpanu.

— Ouais, ouais, ouais… Je te connais, Aishpanu. Tu devrais plutôt dire que selon toi, un homme doit pouvoir faire ce qui lui plaît et rester libre en tout temps !

Le plus jeune des enfants s'était détaché du groupe occupé à décharger les canots. Pieds nus, il trottinait vers les deux hommes. J'évaluai son âge à trois ans. L'enfant leur tendit les bras. Aishpanu le prit sur ses épaules et se dirigea avec le commis vers le magasin.

— Des fois, maugréa Gilbert, je me demande vraiment pourquoi je me donne tant de mal à essayer de tenir convenablement ce poste. Suer sang et eau pour si peu de reconnaissance… Je suis à la veille de prendre le bois, moi aussi. Je ne suis pas pire que Perrault. En passant, je sais pourquoi Mahikan est si pressé de rentrer à Métabetchouan. Pas besoin de le couvrir, tout le monde le sait…

Leurs voix se perdirent. Je cherchai du regard Mahikan et Uapishtan, qui avaient déjà disparu. Je souris au père Dandurand, ainsi qu'à Shaw, Blackwood et Marie-Josèphe, qui étaient assis devant moi. Ils me rendirent mon sourire. La tristesse pesait encore lourd, et nous nous taisions. Au loin, le grondement d'une chute accompagnait les cris des enfants et le chant des oiseaux. McIntosh s'approcha de nous et s'étendit sur l'herbe haute. Les traits tirés, il se releva sur un coude et se mit à effeuiller machinalement l'une des fleurs sauvages qui l'entouraient. Les hommes avaient terminé de décharger les canots. Ils s'étaient mis à quatre pour transporter l'*Emily* vers une sorte de remise. Aishpanu ne fut pas long à revenir, une paire de mocassins tout neufs aux pieds. Il s'étendit aux côtés de McIntosh.

—Les canots sont déjà déchargés ? s'informa-t-il.

—Oui. Et j'ai demandé aux gars de monter les marchandises à la cabane du bout du portage pour ce soir. Ça nous fera gagner du temps demain matin.

—Bien.

McIntosh se laissa retomber au sol, mains derrière la tête, jambes repliées. Les yeux rivés aux nuages, il restait silencieux. Sa quiétude ne dura qu'un bref instant puisqu'un lourd ballot s'écrasa à moins d'un pied de sa tête. C'était Boulette.

—Debout, McIntosh ! Ça ne m'impressionne pas, ta promotion de commis. On n'est pas encore rendu à ton futur poste du lac Mistassini. Tu vas venir nous aider à transporter tes marchandises en haut du portage !

Surpris par l'intervention de Boulette, McIntosh s'était levé d'un bond, l'air triste et perdu. J'eus pitié de lui. Boulette lui donna une tape dans le dos et l'entraîna vers le groupe qui se préparait à portager.

—Mademoiselle ?

Je sursautai. Gilbert venait de me poser une question, que je n'avais pas entendue.

—Je vous demande pardon ?

—De la bière d'épinette, vous en voulez ? C'est moi qui l'ai faite !

—Non, merci !

—Tant pis pour vous !

Il alla dans sa maison pour en ressortir avec quatre verres bien remplis pour ses invités. Après avoir bu quelques gorgées, tous les quatre s'excusèrent. Marie-Josèphe et le père Dandurand désiraient aller prier à la chapelle, Shaw et Blackwood voulaient explorer les environs.

— Tu vois, ils ne l'ont pas aimée, ta bière d'épinette, conclut Aishpanu, toujours couché dans l'herbe. C'est le sirop de Barbade[8]! Tu en mets trop!

Le commis leva les yeux au ciel avant de me regarder d'un air moqueur. Il donna un léger coup de tête en direction d'Aishpanu.

— Je vous plains, mademoiselle, d'avoir à voyager avec lui.

Il me détailla un peu trop longtemps à mon goût avant de poursuivre:

— Aishpanu m'a appris que c'était votre premier voyage. Comment avez-vous trouvé le Saguenay?

— Cruel, lui répondis-je sans ambages.

— Je peux comprendre, étant donné les circonstances. Rien ne vous a plu?

Je repensai à l'aviron de tilleul resté sur un rocher dans l'anse où nous avions trouvé refuge. Puis les images de l'horrible drame envahirent mon esprit et mon cœur se serra. Je fermai les yeux et m'efforçai de les remplacer par les paysages enlevants qui

---

8. Mélasse.

avaient ponctué le reste de la remontée. En particulier la magnificence de la baie Éternité, dont
l'entrée était gardée par deux monstres de roc, les
caps Trinité et Éternité.

— Oui. J'ai été impressionnée par le cap Trinité…

— Vous connaissez la légende ? commença Gilbert
en venant s'asseoir près de moi.

— Non.

— Elle dit que les trois entailles dans la roche du
cap ont été laissées par un méchant manitou.

Gilbert était si près que je pouvais sentir son
odeur mêlée de sueur, de térébenthine et de tabac.

— Tu racontes tout de travers, intervint Aishpanu.

Le guide se tenait maintenant debout derrière
nous. Nous sursautâmes. Instinctivement, Gilbert
s'éloigna un peu de moi.

— Comment, tout de travers ?

— Tu commences par la fin, continua Aishpanu.
C'est à moi de conter cette légende à mademoiselle.
Au fait, Ange-Élisabeth, je me permets de vous
mentionner que c'est le temps ou jamais de faire
votre lessive. L'un des engagés du poste s'adonne
justement à cette activité qui vous passionne. Il est
derrière le magasin.

Un peu vexée, je me levai pour rejoindre les
hommes de la brigade et chercher mon bagage. C'est
en vain que je passai en revue les marchandises
disposées sur le sol.

— Vous cherchez quelque chose, mademoiselle ? s'enquit Louis-Jos.

— Oui, ma sacoche de cuir. L'auriez-vous vue ? Je voudrais laver mon linge.

— Elle est ici, votre sacoche, m'interpella Michaud en pointant du doigt mon bagage.

Je levai les yeux pour découvrir ma sacoche perchée au sommet de deux ballots recouverts de peaux de loup-marin. Soutenus par des sangles de cuir tendues sur le front et la poitrine du Calumet, les deux paquets reposaient sur ses épaules. Il plia les genoux en maugréant pour que je puisse attraper mon sac.

— Je ne vous demande quand même pas la lune ! murmurai-je.

Le Calumet me toisa, sans rien ajouter. Un peu courbé vers l'avant, il partit d'un petit pas rapide vers le sentier, suivi de Plumeau, Tshinisheu, Thierry et Portelance, aussi chargés que lui. Les hommes restés sur place les encouragèrent en émettant quelques cris à la manière des Sauvages.

— Vous ne demandez pas la lune, vraiment ? vint alors me sermonner McIntosh, qui n'avait pas encore pris son chargement. Sachez pour votre gouverne que chacun de ces ballots pèse un bon quatre-vingt-dix livres. Vous savez additionner… Avec près de deux cents livres sur les épaules, oui, un homme peut ne pas avoir envie de plier les genoux.

Lucien s'était approché.

—Ne sois pas trop dur avec mademoiselle, McIntosh. Elle ne pouvait pas savoir.

Il continua en se tournant vers moi.

—En plus, Ange-Élisabeth, le Calumet voulait te faire plaisir. Il a pensé à prendre ton bagage pour t'éviter d'avoir à le transporter demain matin. C'est une sacrée pente qu'il te faudra monter.

Rouge de confusion, je bégayai :

—Je… Effectivement, je ne savais pas.

—Maudits habitants ! marmonna McIntosh. Ça prend du front pour tutoyer une jeune fille de la vieille noblesse.

Les idées se bousculaient dans ma tête. Il faudrait que je m'excuse auprès du Calumet.

—Tu as quelque chose à reprocher aux habitants, McIntosh ? questionna Louis-Jos d'un ton mauvais.

—Non, rien de spécial, mis à part qu'ils ont un front de bœuf !

—Et moi, je dis plutôt qu'ils ont du panache ! décréta Lucien.

Il poursuivit à mon intention.

—Tu pourrais faire sa lessive en même temps que la tienne, proposa-t-il. Il a laissé sa chemise ici exprès pour la laver ce soir.

—Oui, c'est une bonne idée ! m'exclamai-je, trop contente de pouvoir réparer mon impair.

—Et si tu pouvais aussi laver la mienne, me demanda-t-il d'un air suppliant. Nous en avons pour tout l'après-midi à portager. Et j'ai pris ta défense… Il ne faudrait pas l'oublier.

Voyant que j'acquiesçais, il alla chercher, un peu trop guilleret à mon goût, une chemise chiffonnée dans ses affaires. Ce fut ensuite au tour de McIntosh de me remettre sa chemise avec un sourire en coin. En quelques minutes, un tas de chemises sales prit forme à mes pieds. Nous étions partis depuis une semaine et Chicoutimi semblait l'endroit tout désigné pour faire le lavage. Sur ces entrefaites, Aishpanu nous rejoignit.

—J'avais deviné que vous aviez une passion pour la lessive, mademoiselle, mais pas à ce point, observa-t-il avec un sourire malicieux.

Un autre groupe d'hommes était prêt à partir pour la cabane du bout du portage. Boulette demanda à ce qu'on ajoute un troisième ballot à sa charge. Aishpanu acquiesça à sa demande sous de joyeuses acclamations. Boulette ploya imperceptiblement sous le poids de ce fardeau supplémentaire. Ainsi écrasé, il ferma la marche, grimaçant et expirant par la bouche à chacun de ses pas.

Chapitre 7

Les premières
étoiles du soir

La pièce principale de la maison du commis était bondée. On y entrait et on en sortait comme si c'était un moulin. Je venais à peine de terminer mon repas que la porte s'ouvrit sur d'autres convives. Gilbert avait préparé ce qu'il appelait son fameux hachis « carotté ». Au début, j'étais restée perplexe, n'y trouvant aucune carotte. Le commis m'avait expliqué que l'appellation de son hachis venait plutôt du fait que tous les aliments qui entraient dans sa préparation devaient être taillés en petits morceaux qui rappelaient des « carreaux ». Ce plat était servi accompagné d'une salade de pissenlit et d'herbes sauvages que je ne connaissais pas. Je m'étais régalée ; j'avais mangé plus qu'il n'était convenable. À l'instar de mes compagnons, j'étais même allée jusqu'à essuyer la sauce restée au fond de mon écuelle avec du pain.

Les hommes buvaient et parlaient fort dans l'air enfumé de la maison. Les cris des enfants ponctuaient de notes aiguës le tapage ambiant. Une Sauvagesse fit son entrée. Elle arborait un beau sourire. À sa vue, Gilbert annonça une nouvelle tournée de rhum et toute l'assemblée se mit à scander son prénom.

— Geneviève ! Geneviève ! Geneviève !

La nouvelle venue ne se laissa nullement intimider par ces joyeuses manifestations. Je compris qu'il s'agissait de la femme de Perrault, cet homme libre[1] qui vivait à proximité du poste. Les enfants les plus jeunes coururent la retrouver et se pendirent à sa jupe.

— *Neka*[2] *! Neka !* criaient-ils.

Ces effusions enfantines ne durèrent qu'un instant. Tous retournèrent en courant auprès de Tshinisheu et de Chipewyan pour se faire balancer à tour de rôle dans une grande couverture de laine. Geneviève se fraya tant bien que mal un chemin vers son époux et son fils aîné, qui venaient de rentrer de leur pêche aux Terres-Rompues. Michaud l'arrêta en cours de route pour demander à voir son bébé,

---

1. Par opposition à l'homme engagé, l'homme libre avait terminé son contrat, mais poursuivait ses activités sur le territoire (chasse, trappe), notamment grâce à son mariage avec une femme autochtone.
2. Maman !

qu'elle portait dans une enveloppe en peau. Elle le lui tendit. Loin de s'inquiéter, le petit ouvrait de grands yeux noirs pour ne rien manquer de l'action qui se déroulait autour de lui. Tshinisheu et Chipewyan faisaient exprès de balancer les enfants de plus en plus haut et de plus en plus fort. Les cris atteignirent leur paroxysme lorsque le tour de l'un des garçons fut oublié par inadvertance. S'ensuivit une lutte fratricide qui se termina par des pleurs et des hurlements. Inquiets de la situation, les chiens se mirent à japper en tournant autour des enfants.

Gilbert réussit à calmer le jeu en sortant une corbeille d'écorce remplie de fruits séchés : des pruneaux, des raisins et des figues, ainsi que des fruits du pays, car j'y remarquai des bleuets et des petites poires d'amélanchier. La générosité du commis fut accueillie dans l'allégresse générale. Tout le monde semblait avoir oublié la mort d'Aidrian. L'alcool aidant, les hommes riaient sans pouvoir s'arrêter. Leurs plaisanteries tournaient autour de Soucy, l'ancien voyageur de la Compagnie du Nord-Ouest que Gilbert avait cru voir passer devant le poste. Chacun avait une anecdote sordide à raconter au sujet de cet homme apparemment hors du commun. Marie-Josèphe, qui pourtant n'affectionnait pas ce genre de mêlée, affichait une bonne humeur que je lui avais rarement vue. Elle avait pris le bébé de Perrault dans ses bras et le faisait sauter gentiment sur ses genoux en tenant ses menottes. À ses mimiques et à ses cris de joie, l'enfant était de toute évidence enchanté de ce manège. Lorsque Boulette s'approcha pour lui faire un coucou, le visage du chérubin se décomposa instantanément.

—Va te cacher, mon Boulette ! Tu fais pleurer les enfants ! le taquina Michaud.

—C'est à cause de ta couleuvre ! en déduisit le Calumet.

—Il faudrait que tu portes une collerette pour la cacher ! renchérit Poupart.

—Boulette, en collerette ! Boulette, en collerette ! Boulette, en collerette ! scandèrent les trois vétérans de la brigade.

Boulette jura entre ses dents et sortit. J'en profitai pour prendre aussi congé. Je n'étais pas habituée à ces rassemblements et ne m'y sentais pas à ma place. Dehors, le soleil se couchait. Thierry était occupé à mettre sur le feu la sempiternelle soupe de pois et de lard qui composerait notre repas du lendemain. Je lui souris et m'éloignai de la maison. Boulette avait déjà disparu.

Un vent d'ouest vint gonfler ma robe. L'air avait encore fraîchi. Après avoir fait quelques pas dans un sentier, j'entendis quelqu'un m'appeler :

—Ange-Élisabeth ! Mademoiselle ! Par ici !

Portelance et Lucien étaient assis par terre, adossés au muret de pierre d'un four à pain. Ils fumaient la pipe en admirant le coucher du soleil sur le Saguenay. Ils m'invitèrent à m'asseoir. Portelance se leva et me tendit la main pour m'aider à prendre place entre eux deux. J'enlaçai mes jambes repliées et posai mon menton sur mes genoux. L'horizon flambait dans des tons orangés. Les feux mourants du soleil éclairaient le dessous des nuages dont les teintes allaient du bleu clair au violet. Je laissai monter mon regard au firmament, où scintillaient déjà les premières étoiles du soir.

—Pas trop fatiguée de ton après-midi de lessive? me demanda Lucien d'un air taquin.

—En vérité, je n'ai presque rien fait. Un engagé du poste avait déjà mis à bouillir du linge dans une cuve.

—Je savais que c'était jour de lessive au poste, m'avoua Lucien. Sinon je ne me serais jamais permis…

—J'ai bien voulu aider au battage et au frottage, seulement je m'y prenais si mal que Marie-Josèphe a insisté pour prendre ma place.

—Ah ça! Elle s'y connaît en lessive, la Smith! affirma Portelance d'un ton peu amène. Elle en a lavé du linge, dans sa vie!

—C'est ce que j'ai cru remarquer…

—Elle aurait sans doute préféré que vous ne le remarquiez pas. Voyons! C'est bien connu! La femme d'un commis, ça ne touche pas à une barre de savon du pays!

—J'ai au moins pu me rendre utile pour le séchage.

Dans le ciel, les étoiles se faisaient de plus en plus nombreuses. Le calme de la nuit tombante, l'heure du loup, donnait au grondement des chutes une dimension aussi imposante qu'inquiétante.

—Est-ce la chute de la rivière Chicoutimi, que l'on entend ? m'informai-je.

Portelance prit le temps de savourer une bouffée de sa pipe avant de me répondre. La fumée qu'il exhala longuement par la bouche resta un peu suspendue devant moi avant d'être balayée par la brise légère.

—D'ici, on entend toujours les bouillons de la chute. Mais ce soir, le tumulte qui nous arrive de l'ouest vient de la Grande Décharge.

—La Grande Décharge ?

—Oui, c'est à cet endroit que le lac Saint-Jean s'engouffre en cascades dans le Saguenay. Les chutes y sont nombreuses, parsemées d'îles et de rochers… Pour se rendre de Chicoutimi au lac Saint-Jean, c'est mieux de prendre le lac Kénogami. La Grande Décharge est un passage éprouvant que l'on préfère éviter en montant.

—Et en descendant ?

—Sauter la Grande Décharge en canot est une façon un peu spéciale de devenir un homme.

—Tu l'as déjà fait ? demandai-je à Portelance.

—Oui. Il faut l'avoir fait pour être un voyageur accompli.

—Et toi, Lucien?

Il éclata de rire et me lâcha sans gêne:

—Jamais! Je tiens trop à la vie. Il y a d'autres façons de prouver sa valeur. Les exploits de ce genre ne sont bons que pour les tombeurs comme Portelance ou pour ceux qui ne tiennent pas à vivre vieux, comme Aishpanu.

Je sautai sur l'occasion pour en apprendre davantage.

—Aishpanu ne tient pas à la vie?

—Il ne craint pas la mort. Ce n'est pas tout à fait la même chose, nuança Portelance.

—Moi, je dis qu'il ne tient pas à la vie, réaffirma Lucien. Non seulement il ne craint pas la mort, mais il la cherche.

—Pourquoi? demandai-je.

Tous deux échangèrent un regard.

—Parce que c'est un homme qui souffre, finit par laisser tomber Portelance.

Lucien me tendit sa pipe et Portelance, son flacon de rhum. Je fumai et bus sans broncher ni tousser.

—Sommes-nous loin du lac Saint-Jean?

—Il y a d'abord les sept portages de la rivière Chicoutimi, commença Lucien. Ensuite, il faudra traverser le lac Kénogami sur toute sa longueur.

—Puis il y aura d'autres lacs, d'autres rivières, d'autres portages, ajouta Portelance. C'est demain que l'aventure commence.

—À combien de jours sommes-nous du prochain poste de traite ?

—De Métabetchouan ? s'enquit Lucien. Avec toutes les marchandises à portager, il faut compter au moins deux jours... si tout se déroule pour le mieux.

—Trois jours, pas moins, renchérit Portelance.

La nuit était tombée. Lucien se pencha pour s'adresser à Portelance.

—Trouves-tu que les étoiles sont pâles cette année ? C'est à peine si on les voit. Il y a comme un voile dans le ciel.

Portelance me regardait. Malgré la noirceur, je distinguais son visage fraîchement rasé, sa chemise blanche... Je pris soudainement conscience de notre proximité. À ma gauche, l'épaule de Lucien touchait la mienne. À ma droite, je sentais la chaleur qui émanait du corps de Portelance.

—Si tu les regardes à travers les yeux de mademoiselle, tu verras que les étoiles brillent autant qu'avant, sinon plus, dit doucement Portelance. Je pense qu'il serait sage d'aller te coucher, maintenant, Ange-Élisabeth.

Lucien se leva et me tendit la main pour m'aider à me relever. Je ne savais même plus ce que je ressentais tant les paroles de Portelance avaient affolé mon cœur. J'avais envie de fuir, alors que tout mon être voulait rester. La confiance que j'éprouvais envers ces hommes eut raison de ma méfiance. Portelance s'approcha et me baisa sur la joue.

—Bonne nuit !

Puis ce fut le tour de Lucien.

—Dors bien !

Il m'embrassa sur les deux joues. Puis il se recula, et son regard croisa le mien. Il avait perdu son allure de bon garçon de la campagne. Pour la première fois, je prêtai attention à son visage. Une arcade sourcilière prononcée, de grands yeux bruns, une mâchoire volontaire adoucie par un sourire un peu trop large. Peut-être n'était-il pas aussi beau que Portelance, mais il avait pour lui un air de sincérité et de bonté irrésistible.

—Je te raccompagne…

—Et où penses-tu la raccompagner, Copeau ?

Surpris, mon chevalier servant tourna la tête pour se trouver nez à nez avec Aishpanu. Ce dernier ricana.

—À ce que je vois, vous passez une bonne soirée, mademoiselle !

—Oui, je…

Bien malgré moi, je regardai à terre. Il toucha mon menton du bout de son index pour que je relève mon visage.

—Ne baissez pas les yeux. Gardez la tête haute.

Il prit mon bras et m'entraîna dans la nuit.

—Je vous reconduis au presbytère. Un lit vous y attend à l'étage. Je vous ai même fait monter de l'eau.

Tout en marchant, il se retourna.

—Allez vous coucher! conseilla-t-il à Lucien et à Portelance. Nous partirons dans quelques heures, la nuit est claire.

Aishpanu me laissa devant la porte du presbytère. Sous la lune, la croix qui pendait à son cou étincela sur sa poitrine nue. Je n'essayai même pas de soutenir son regard. Un instant, je crus qu'il allait, lui aussi, m'embrasser sur la joue. Mais il se ravisa.

—Faites de beaux rêves, mademoiselle.

Je le regardai s'éloigner. Je sentais encore les battements accélérés de mon cœur lorsqu'il disparut au détour du sentier. Que m'arrivait-il? Je ne comprenais plus rien à mes sentiments. Amitié foudroyante, reconnaissance… désir? Les joues brûlantes, j'entrai dans le presbytère. Aucune bougie n'y était allumée. En cherchant l'escalier, je butai sur un homme qui dormait dans un lit de fortune.

—Oh! Pardon! murmurai-je.

—C'est vous, mademoiselle?

Je reconnus le père Dandurand.

—Oui, c'est moi.

—Vous dormez en haut avec madame Smith. Je n'ai malheureusement pas de feu.

—Ce n'est pas grave… Bonne nuit !

Je montai à l'étage. Les rayons de la lune y pénétraient par une petite fenêtre aux carreaux sales. Un broc rempli d'eau me permit de faire ma toilette. Morte de fatigue, je me couchai. Pourtant, le sommeil ne vint pas. Depuis la mort du jeune Fitzbay, chaque fois que je fermais les yeux, les plus atroces images de la noyade revenaient à mon esprit. Je finis par tomber dans un demi-sommeil hanté par Jean-Baptiste. En rêve, je ne voyais que sa vilaine barbe noire. Il tentait de s'imposer à moi sous le regard indifférent des voyageurs de la brigade quand je me réveillai en sursaut. C'était Marie-Josèphe qui venait se coucher. Je tentai, bien inutilement, de me rendormir. Les draps de chanvre encore rêches me piquaient les jambes et les bras. Avaient-ils au moins été lavés quelques fois ? L'idée que la paillasse puisse grouiller de vermine m'enleva définitivement le sommeil.

Les yeux ouverts dans l'obscurité, j'écoutais courir les mulots sur le plancher. Le bruit de leurs petites pattes griffues sur le bois m'horripilait. Pour me donner du courage, je pensai à la raison pour laquelle j'avais entrepris ce voyage. Que faisait mon père à cette heure ? Souffrait-il sur un lit de branchages ou dormait-il, heureux sous les étoiles ? Mes pensées allèrent ensuite vers Richard. Je l'imaginai sur le pont du navire le ramenant à Québec. Honteuse des sensations que j'avais éprouvées un peu plus tôt, je me demandai si le coucher du soleil avait été aussi envoûtant sur la mer que sur le Saguenay. Je repensai à l'exclamation admirative de Marie-Josèphe à l'évocation du nom de mon fiancé. Comme j'aurais aimé que Richard m'accompagne en pays sauvage! À ses côtés, je me serais sentie plus forte. Jamais je n'aurais baissé les yeux devant Aishpanu. Nul doute que Richard aurait éclipsé tous les hommes de la brigade, tant par son courage et son éducation que par ses manières et sa beauté. J'en étais à imaginer nos retrouvailles quand on frappa à la porte du presbytère.

Mon cœur cessa de battre. J'entendis en bas quelqu'un se déplacer pour aller ouvrir la porte. La lumière blafarde d'une chandelle se refléta sur le mur de l'escalier.

—*Nui aimiau kauapikuesht* Bélanger[3], émit une voix inconnue.

—Père Bélanger, *apu tat ute*[4].

C'était McIntosh qui avait répondu. Je me glissai hors de mon lit et descendis quelques marches pour voir ce qui arrivait. Dans l'entrebâillement de la

---

3. Je voudrais voir le père Bélanger.
4. Père Bélanger, pas ici.

porte, deux Sauvages attendaient. McIntosh, en chemise, un bougeoir à la main, secouait doucement le père Dandurand.

— Mon père, deux Sauvages demandent à voir un prêtre.

Le père Dandurand se leva, revêtit sa soutane et sortit. McIntosh, qui m'avait entendue, se retourna.

— Vous pouvez retourner dormir, mademoiselle.

— Pourquoi voulaient-ils voir un prêtre en pleine nuit ? Quelque chose de grave est arrivé ?

— Qu'en sais-je et qu'importe ? Les Sauvages sont ainsi faits. Peut-être ont-ils aperçu la lumière de ma bougie dans le presbytère. Ils ont cru que le père Bélanger était de retour pour sa tournée d'été. Il est bon pour eux et ils l'apprécient beaucoup. Ils voulaient sans doute le saluer et lui parler. Je leur ai envoyé le père Dandurand.

— Déranger quelqu'un en pleine nuit pour parler ?

— Nous sommes en territoire montagnais, ici. Un fusil éclaté, une pénurie de munitions, un besoin pressant de se confesser... Toutes les raisons sont bonnes pour venir cogner au poste. Il n'y a pas d'heure pour les Sauvages.

— Vous ne dormiez pas ? Que faisiez-vous ?

— Quelque chose de déplaisant. J'écrivais à la jeune sœur d'Aidrian Fitzbay pour lui annoncer la mort de son frère. Elle n'a plus aucune famille.

— Où est-elle ?

— Nous l'avions laissée au soin des Augustines. J'espère qu'elle y est encore.

Oubliant que je ne portais que ma chemise, je descendis les marches pour le rejoindre.

— Puis-je ? lui demandai-je en montrant le papier et la plume laissés sur un petit bureau. J'aimerais écrire un mot à une amie très chère pour lui dire que tout va bien.

— Bien sûr, servez-vous.

Je m'assis et écrivis quelques phrases pour Claire-Françoise. McIntosh resta derrière moi un instant avant de regagner son lit.

— Dès que je ferme les yeux, chuchota-t-il comme pour lui-même, je vois cet aviron de tilleul barré d'ondulations noires contre les rochers de l'anse.

— Moi aussi, cette vision me hante.

— Je me sens coupable. Je lui avais fait miroiter les sommes qu'il pourrait gagner en venant au lac Mistassini. Je voulais l'aider…

— Ce n'est pas votre faute.

Je ne trouvai rien d'autre à ajouter pour le réconforter.

— C'est ce que la raison me dit…

Je terminai de noter l'adresse de Claire-Françoise et me rendis au chevet de McIntosh. Sans réfléchir, je passai ma main dans ses cheveux blonds légèrement bouclés. Il les portait courts, comme Richard autrefois.

—Ne vous torturez pas trop, murmurai-je.

Il attrapa ma main et la posa contre sa joue.

—Portelance m'a appris que vous étiez fiancée à l'héritier Guyon. Aucun des gars ici n'a jamais pensé avoir une chance avec vous. Mais moi… Une fois mariée, mademoiselle, s'il vous plaît, ne dites jamais à votre époux que le fils de l'armateur McIntosh vous a donné sa chemise à laver.

Je retirai ma main de la sienne.

—Jamais, c'est promis! En échange, puis-je vous poser une question indiscrète?

—Allez-y!

—Pourquoi préférez-vous la course des bois à la direction de grands chantiers de construction navale?

—Il y a quatre ans, mon père s'est entendu avec un bourgeois de la Compagnie pour mon premier contrat. Il voulait me faire expier mes frasques mondaines, me mettre un peu de plomb dans la tête, me faire voir du pays. Je suis parti pour Fort William[5] sous la contrainte. Il faut croire que le commerce des fourrures m'a plu, puisque me voilà commis. Oh! Cela ne durera qu'un temps! Quelques années encore et je rentre au bercail.

---

5. Situé sur les rives du lac Supérieur, ce fort était le poste central de la Compagnie du Nord-Ouest.

En remontant me coucher, je me pris à penser qu'au sein de la brigade, McIntosh était sans doute le jeune homme qui se rapprochait le plus de mon Richard.

Je n'avais toujours pas fermé l'œil lorsque l'appel du départ se fit entendre. Je demandai l'aide de Marie-Josèphe pour resserrer la longue tresse qui contenait toute ma chevelure. Nous nous habillâmes en hâte et sortîmes dans la nuit qui s'achevait.

Les hommes ne semblaient nullement affectés par la fête de la veille. Au contraire, l'atmosphère joyeuse me rappela notre départ de Québec. Plusieurs voyageurs avaient sorti leurs fusils et leurs couteaux pour les porter directement sur eux. Perrault, toujours dans les parages, aidait les hommes à prendre leur chargement. Boulette et le Calumet étaient absents. Lucien m'expliqua qu'ils étaient allés coucher à la cabane du bout du portage pour surveiller les marchandises. J'entendis Aishpanu réclamer au commis quelques provisions pour la suite du voyage.

—Désolé, je n'ai presque plus rien. Tant que la goélette ne sera pas venue ravitailler Tadoussac, je préfère rester prudent. Je peux quand même te laisser du pemmican[6]. Il a été préparé au poste du lac

---

6. Aliment constitué de graisse animale, de viande séchée réduite en poudre et de fruits séchés.

Chamouchouane l'an dernier et j'en ai en bonnes quantités.

—Ce sera parfait!

Juste avant de partir, je vis McIntosh remettre au commis les lettres que nous avions écrites.

—Dès que quelqu'un part pour Tadoussac, je lui donne tes lettres, assura Gilbert.

Après les salutations d'usage, nous prîmes à pied le sentier du Grand Portage, premier d'une longue série. L'*Emily* et le *Madame* ne convenaient pas aux rivières qu'il nous faudrait maintenant emprunter. Aussi avaient-ils été changés pour des embarcations plus petites. Je comptai sept canots indiens portés à dos d'homme. L'un après l'autre, nous nous engageâmes dans l'abrupte pente de glaise abritée par une pinède odorante.

Le cours de la rivière Chicoutimi était surprenant, parsemé de rapides incertains et de chutes tumultueuses qui nécessitaient autant de portages épuisants. Chacun d'eux avait une histoire et un nom indien se terminant par «*capataganne*[7]». Portelance me traduisit en français l'appellation de certains d'entre eux. Au Grand Portage succéda le portage Ka Ka. Puis il y eut le portage aux Chiens, celui de l'Enfant, le Beau Portage, le portage de l'Islet et le portage des Roches. À ma grande joie, Aishpanu

---

7. Portage.

m'avait placée dans le même canot que Lucien et Portelance. Assise au milieu, je compris rapidement que le canot indien, s'il était mieux adapté aux rivières, n'offrait pas le même confort que les grands canots, du moins pour les passagers. Le moindre mouvement avait des répercussions sur l'équilibre de l'embarcation. Au début, Portelance, placé à l'arrière, devait souvent me rappeler à l'ordre.

Contrairement à ce que j'avais craint, je franchis sans trop de mal les portages, qu'ils soient de sable, de glaise, de tourbe ou de roches. Et c'est sans difficulté que j'enjambai les troncs d'arbre tombés en travers des sentiers. Mon véritable supplice fut dans l'attente. Les longues heures dont avaient besoin les hommes pour décharger, portager et recharger les marchandises laissaient amplement le temps aux insectes piqueurs de se régaler de ma chair. Il fallait aux voyageurs deux allers-retours, parfois plus, pour transporter les canots et les bagages en haut des rapides. Je devais alors patienter en compagnie des autres passagers et de ces petites bestioles ailées, féroces et obstinées. Le vrombissement lancinant de leurs ailes combiné à leur acharnement avait de quoi rendre folle n'importe quelle personne saine d'esprit. En pleine forêt, la graisse d'ours se montrait d'un bien piètre secours. Je finis par me résigner à me couvrir entièrement la tête de mon châle et c'est en pestant intérieurement que j'attendais de rembarquer. Les engagés ne manquaient pas de me taquiner. Trempés de sueur, le visage déformé par l'effort, ils peinaient de l'aube jusqu'au soir sans jamais se plaindre. Pourtant, avant même le lever du soleil, les maringouins leur menaient une guerre infernale. Dans la journée, les petites mouches noires prenaient le relais. Mais ce n'était que partie remise pour les moustiques, qui revenaient en force à la brunante. Et à la nuit tombée, les brûlots régnaient en maîtres, tels d'invisibles vampires armés d'aiguillons de feu. Seules leurs morsures brûlantes prouvaient leur existence.

Pour éviter de prolonger le contact avec ces parasites, les pauses étaient rarement accordées en forêt. Les pipées se savouraient sur l'eau. Le soir, grâce à l'habileté de Tshinisheu, nous pouvions agrémenter notre ordinaire de ouitouche ou de truite. Après le repas, pour tenir les insectes à distance, Thierry ajoutait du bois vert au feu pour enfumer tout le campement. Harassés, les hommes s'endormaient immédiatement. L'épaisse fumée me brûlait les yeux et m'empêchait de trouver le sommeil. Alors, si les ronflements n'étaient pas trop tonitruants, je pouvais écouter les bruits nocturnes de la forêt, qui me fascinaient et m'apeuraient tout à la fois. Était-ce le feulement d'un loup-cervier ? Et ce tapage sourd, la démarche d'un ours ? Je préférais ne pas le savoir.

Nous atteignîmes le cap rocheux marquant l'entrée du lac Kénogami le surlendemain de notre départ. Ce lac majestueux, d'une longueur impressionnante, était bordé de montagnes aux sommets arrondis. À notre arrivée, rien ne venait troubler sa surface d'huile, pas même un souffle de vent. Les canotiers se lancèrent sur les eaux calmes dans un silence presque religieux, y allant de mouvements feutrés. Avaient-ils peur de réveiller quelque monstre imaginaire, où était-ce simplement leur façon de profiter d'un instant béni? Seuls quelques corbeaux vinrent troubler notre traversée par leurs cris lugubres. Le bout du lac marqua la fin de la belle navigation. Après un portage barré par un petit lac appelé Ouikoui, il nous fallut traverser le sombre lac Kénogamichiche. Notre route passa ensuite par un dédale de petites rivières étouffées par une impressionnante quantité d'aulnes. Aishpanu, à la tête du premier canot de la brigade, dut utiliser sa hachette pour ouvrir le chemin. Tout cela nous retarda, si bien que nous n'arrivâmes au lac Saint-Jean qu'en fin d'après-midi, le troisième jour suivant notre départ de Chicoutimi.

C'est au détour d'un méandre de la Belle Rivière que j'aperçus enfin l'immensité bleue du lac que les Sauvages appelaient Pekuakami. Je restai sans mots devant tant de beauté. Sous le soleil, un tapis d'eaux étincelantes se déroulait jusqu'au bout du monde.

Nulle terre à l'horizon. Cette vision sublime aux couleurs d'éternité me consola de tout chagrin et l'aviron de tilleul s'effaça de ma mémoire. Où étaient-elles à présent, mes peines et mes misères? Elles s'étaient envolées. De la même façon qu'au petit matin, les mauvais rêves se dissipent dès le premier regard jeté à travers une fenêtre.

Chapitre 8

Le messager

Le soleil était encore haut à l'horizon.

—Allumez! décida Aishpanu.

À peine avait-il prononcé ces mots qu'une odeur de tabac se répandit dans l'air calme. Lucien, agenouillé à l'avant du canot, se retourna vers moi pour étirer ses jambes sur les ballots qui me faisaient face. Chacun de ses mouvements avait été exécuté avec tant de mesure que le canot ne vacilla ni à gauche ni à droite. Pendant tout le temps que dura la pause, je n'eus d'autre choix que de méditer sur le dessous noirci de ses mocassins sales et usés.

—Le vent va virer de bord, décréta Boulette.

Quelques hommes levèrent la tête vers le ciel sans nuage. Rien ne laissait présager le moindre changement. Comme eux, je cherchai un signe, un indice, mais tout était calme, paisible, immuable. Sous la voûte céleste, le Pekuakami paraissait dormir. Dès leur sortie de la Belle Rivière pour entrer dans les eaux du lac, Aishpanu et Tshinisheu, dans le canot de tête, avaient obliqué vers la gauche, longeant la rive. Les six autres canots de la brigade avaient suivi. La dense forêt de conifères et de feuillus était si proche que nous pouvions entendre le chant des oiseaux. Au contournement de la première pointe, une brise pleine de fraîcheur vint emporter les quelques moustiques qui avaient réussi à nous suivre. Les vagues augmentaient en force. J'observai mes compagnons à la dérobée. Personne ne semblait inquiet. Et pourtant, j'avais l'impression que nos canots indiens n'étaient plus que de vulgaires casseaux ballottés par de longues vagues qui, une fois formées, roulaient à l'infini sur ce lac démesuré. Je détournai mon regard du large pour me concentrer sur les berges. Le mur de végétation, souligné par de paisibles espaces de grève sablonneux, me sembla s'être passablement éloigné, ce qui fut loin de me rassurer. Tout mon corps était tendu. Je n'osais plus faire le moindre mouvement. Les minutes, puis les heures passèrent. Mes jambes s'engourdirent peu à peu. N'en pouvant plus, je décidai de m'informer :

— Arriverons-nous bientôt ? demandai-je à Lucien et Portelance.

— Tu vois, là-bas, la pointe qui s'avance ? m'indiqua Lucien en levant son aviron droit devant nous. Eh bien, la rivière Métabetchouane arrive juste devant.

Je poussai un soupir de soulagement. Enfin, je pourrais marcher un peu, manger convenablement… J'étais enchantée à l'idée de pouvoir profiter dès ce soir du confort d'un poste de traite, aussi limité soit-il. L'époux de Marie-Josèphe aurait certainement quelques égards pour moi. J'eus soudain honte du délabrement de ma tenue. Ma robe était sale et déchirée, j'avais perdu un gant… Je tentai sans grand succès de décoller une galette de glaise séchée sous mes bottines.

Les canots se rapprochèrent de la rive et j'eus la joie d'apercevoir enfin les bâtiments du poste. D'abord un hangar, puis une grange. Deux vaches paissaient tranquillement dans un pacage verdoyant. Un peu plus loin, à l'ombre du feuillage de quelques grands arbres, se dressaient deux maisons. Dans le ciel, au-dessus des toits, flottaient les couleurs de la Compagnie. J'eus envie de battre des mains tant j'étais heureuse.

Toujours en tête, Aishpanu et Tshinisheu dirigèrent leur embarcation dans l'étroite embouchure de la Métabetchouane. Au-delà, la rivière s'élargissait considérablement, formant un véritable havre intérieur. Un groupe de Sauvages s'était massé sur la rive, près de nous, quoiqu'à bonne distance du magasin du poste, devant lequel quelques hommes nous saluaient déjà. En approchant, je crus comprendre que ces derniers semblaient préoccupés.

L'un d'eux, que je devinai être l'époux de Marie-Josèphe, faisait de grands gestes difficiles à interpréter.

— Marie-Josèphe, dépêche-toi! criait-il.

Ush et Michaud, qui manœuvraient le canot dans lequel elle prenait place, accélérèrent la cadence sous la pression du commis, sans trop comprendre ce qui arrivait. C'est alors que je reconnus, dans le groupe d'Indiens postés sur la rive, Mahikan dans sa chemise indigo. L'air furieux, brandissant en l'air un long fusil, il hurla quelques mots à notre intention. Il était clair qu'il ne voulait pas voir Portelance dans les environs. Alors que nous poursuivions notre course vers l'embouchure de la rivière, il épaula son arme et tira dans notre direction. La balle siffla à mes oreilles. Instinctivement, je baissai la tête. Toute la brigade fut en émoi. Dans le canot juste à côté de nous, Boulette attrapa son fusil et se mit en devoir de le charger. Le Calumet crut bon devoir tempérer son caractère bouillant:

— Boulette, arrange-toi pas pour que ça vire mal, le prévint-il. Portelance va s'en retourner. Je pense qu'il a compris le message. Hein, Portelance?

Tout de suite après avoir entendu la détonation, Aishpanu était revenu sur sa trajectoire. D'une voix forte et autoritaire, il interpella Mahikan dans la langue des Montagnais. S'ensuivit une discussion dont l'âpreté n'échappa à personne. Debout sur une butte de terre, Mahikan montrait un visage dur et fermé. C'était la première fois que je voyais notre guide s'emporter au point de gesticuler. Le commis Smith et les employés du poste voulurent s'en mêler, mais Aishpanu leur intima l'ordre de se taire. Mahikan en profita pour échanger son arme vide contre le fusil chargé que lui tendait l'un des Sauvages qui l'accompagnaient. Il le pointa dans notre direction.

— Tu sais ce qu'il te reste à faire ! cria Aishpanu à Portelance. Je ne peux rien pour toi ! Tu n'as qu'à t'en prendre à toi-même ! La prochaine fois, tu y penseras à…

Mahikan n'avait pas baissé son arme. Aishpanu s'énerva :

— Allez-vous-en ! Allez-vous-en ! On se retrouvera demain matin. Essayez d'aller coucher à la pointe Bleue, si vous êtes capables. Prenez du pemmican !

Il lança à Portelance, d'un canot à l'autre, un sac en peau. Puis, sans autre forme de salutations, il reprit son aviron et mit le cap sur le poste, suivi des autres canots. Je constatai alors avec horreur qu'au lieu de suivre la brigade, Portelance nous ramenait vers le large.

— Que se passe-t-il ? demandai-je, au bord des larmes.

— Il se passe que nous allons coucher ailleurs, grogna Portelance.

—Quoi ? m'écriai-je. Mais j'avais besoin de débarquer. Je ne sens même plus mes jambes, j'ai envie de pisser, j'ai faim, j'ai soif, j'ai froid !

—Tu aurais préféré recevoir une balle en plein front ?

Je me mis à pleurer comme une enfant. Lucien posa son aviron et se tourna vers moi. Il tenait dans ses mains un casseau en écorce. Avec son couteau, il en raccourcit le manche, qui se résumait à une simple branche d'aulne.

—Avec ça, Ange-Élisabeth, tu peux puiser de l'eau et boire à ton aise, me dit-il en rengainant le couteau qu'il portait à son cou. Je l'ai fabriqué cet après-midi.

Je pris le casseau sans prononcer un mot. J'attendis un peu avant de le plonger dans les eaux froides du lac. J'hésitai avant de boire, de peur que cela n'accroisse mon envie pressante. À l'arrière, Portelance délaissa son aviron le temps de charger son fusil. Il restait muet. Était-il honteux des conséquences de son comportement licencieux ou en voulait-il simplement à Mahikan ? Dès qu'une plage fut en vue, il approcha notre canot de la grève. Lucien sauta à l'eau juste avant que l'embarcation ne touche le fond. Portelance sauta à son tour et vint me prendre dans ses bras pour me déposer sur le sable. Tous deux se tournèrent vers le lac pour me laisser un peu d'intimité. Ils en profitèrent pour allumer leur pipe pendant que j'avançais en claudiquant vers quelques buissons. J'avais du mal à marcher tant mes jambes étaient engourdies. Les deux amis n'échangeaient aucune parole. Lucien était en colère, mais il se garda de faire des reproches à Portelance. Celui-ci s'approcha avec la cape de laine qui m'avait servi de coussin depuis le début du voyage. Il la posa sur mes épaules.

— Il nous faut partir, maintenant, me pressa-t-il en sondant du regard l'épaisse forêt qui entourait la plage. Il ne faut pas traîner par ici.

Il me remit un morceau de pemmican et m'aida à reprendre place dans le canot. Nous repartîmes dans la même direction, toujours en longeant la rive. Affamée, je me résignai à mordre dans la barre brunâtre qui me tiendrait lieu de repas. J'hésitai entre mastiquer ou cracher. Le goût n'était pas mauvais, sauf que la graisse qui emplissait ma bouche en fondant me donna un haut-le-cœur.

— Tu ne vas pas vomir, quand même, s'amusa Portelance.

J'attendis d'avoir avalé ma première bouchée avant de parler.

— Non... qu'est-ce qu'il y a, là-dedans?

— De la graisse d'ours, de l'orignal séché et...

Il tendit la main pour que je lui remette le pemmican. Il en prit une bouchée et poursuivit sa réponse tout en mâchant.

—… oui, de l'orignal et des bleuets.

J'enveloppai le pemmican dans mon dernier mouchoir propre et le rangeai dans mon sac. Le vent tomba complètement ; un silence presque angoissant nous enveloppa. Seul le clapotis des avirons touchant l'eau en cadence meublait la solitude qui nous enveloppait. Les plaisanteries d'Aishpanu, les sarcasmes de McIntosh et même les récriminations de Boulette me manquaient. Je n'avais même pas pu dire un au revoir convenable à Marie-Josèphe. Même si je l'avais souvent trouvée désagréable, des liens s'étaient tissés entre elle et moi.

Hormis les trois îles[1] qui se profilaient sur ma droite, nous étions seuls sur le lac. J'aurais aimé que mes compagnons chantent, mais ils n'en firent rien. Chacun demeurait enfermé dans ses rêves, voyageait dans ses souvenirs. En regardant défiler le paysage, je me rappelai ce que m'avait dit Connolly : «Vous emmener jusqu'au poste de Métabetchouan, passe encore. Mais remonter la Chamouchouane ? Traverser le territoire des Atshen ? C'est, à mon humble avis, pure folie… je n'ai pas souvenir qu'une Blanche soit montée jusqu'à la hauteur des terres… si ce n'est la femme de Picote. »

_____

1. Avant la construction, en 1926, du barrage d'Isle-Maligne, qui a considérablement fait augmenter le niveau des eaux, le lac comptait trois îles. Il n'en subsiste plus que deux.

La fierté m'envahit. Le poste de Métabetchouan était maintenant loin derrière! Je me promis alors d'affronter les prochaines épreuves avec plus de courage. Je voulus poser des questions à mes compagnons sur le nom des rivières qui venaient se jeter dans le lac, sur la suite du voyage, puis je me ravisai. Je n'avais en fait aucune envie d'adresser la parole à Portelance. N'eût été de lui, je serais à présent installée bien au chaud dans la maison du commis Smith. Peut-être aurais-je même eu des nouvelles de mon père! Je resserrai ma cape autour de moi. Petit à petit, notre trajectoire dévia vers le nord. Le soleil disparut et le ciel se teinta d'or et de pourpre. Je vis la forêt bordant le lac s'assombrir, puis la cime des arbres se découper en autant d'ombres noires et pointues contre le ciel embrasé. Je sursautai lorsque Lucien s'exclama en pointant l'horizon droit devant nous:

—Ils sont là!

Je plissai les yeux. Dans le lointain, je perçus une lueur vacillante, puis une autre. Des feux étaient allumés sur la rive. À mesure que nous approchions, leurs reflets s'étirèrent graduellement sur l'eau. Les flammes rougeoyantes guidèrent notre canot jusqu'à une plage où des Indiens avaient dressé leurs tentes. Un Sauvage vint à notre rencontre. Après les salutations d'usage, il aida Lucien et Portelance à décharger le canot et à le sortir de l'eau. Nous le suivîmes jusqu'au campement.

Plusieurs vinrent nous accueillir. Visiblement, Lucien et Portelance étaient connus dans les parages. Surtout Portelance, qui discutait en riant avec les uns et les autres dans leur langue. Il dut me présenter, car je l'entendis prononcer « Boucher de Montizambert ». La discussion s'anima et mon nom fut répété à quelques reprises, de même que « Chamouchouane ». Le visage de Portelance rayonnait. Si bien que je m'approchai, folle d'espoir.

—Attends, Ange-Élisabeth! me dit-il. Je dois d'abord parler en personne à Tshishelnu[2].

Nerveux, il marchait rapidement d'un feu à l'autre, s'informant au passage de la présence dudit Tshishelnu. Il revint vers moi, dépité.

—Pas de chance… J'ai bien l'impression que Tshishelnu…

Il suspendit sa phrase. Un homme venait d'arriver derrière moi.

—Tshishelnu! se réjouit Portelance.

Je dus prendre mon mal en patience une fois de plus en attendant que Portelance finisse de converser avec Tshishelnu dans cette langue qui m'était parfaitement incompréhensible.

—Ha! ha! s'écria-t-il enfin. Ton père est vivant! Ton père est vivant!

—Quoi? balbutiai-je, n'osant y croire.

2. Vieillard.

—Tu en es sûr ? demanda prudemment Lucien.

—Vous avez bien entendu ! Il est vivant !

—Tu en es vraiment sûr ? redemandai-je.

—Oui ! Oui ! Tshishelnu arrive du lac Chamouchouane. Ton père y était !

Je me laissai aller aux plus folles manifestations de joie. Lucien me souleva de terre et m'embrassa sur les deux joues avant de me déposer dans les bras de Portelance, qui me fit tournoyer jusqu'à ce que je crie. Puis tous les trois nous nous embrassâmes encore, sous le regard amusé des Indiens.

—Tshishelnu m'a confirmé que ton père avait été malade l'hiver dernier, continua Portelance. Mais contre toute attente, il s'est remis !

Je remerciai chaleureusement Tshishelnu en plongeant dans une profonde révérence avant de lui donner la main. Je demandai même à Portelance comment le remercier dans sa langue. Tshishelnu ne put s'empêcher de rire en voyant tout le mal que je me donnais.

—Ça va, Ange-Élisabeth. Tshishelnu dit qu'il n'y est pour rien.

—Remercie-le encore d'avoir été le messager d'une si bonne nouvelle. Parce que mon père est la seule famille qu'il me reste, et que je le croyais mort...

Mon bonheur était total. Tous mes griefs contre Portelance s'envolèrent en un éclair. Si nous avions passé la nuit à Métabetchouan, je n'aurais jamais rencontré Tshishelnu. J'aimais mille fois mieux me retrouver ici, sur cette pointe, le cœur enfin en paix, que dans n'importe quel château. Devant moi, les flammes d'un feu vif venaient lécher de longs morceaux de viande piqués sur de fines branches plantées dans le sol. Un peu plus loin, dans une grande marmite de cuivre bosselée, fumait un bouillon. L'odeur de gibier qui s'en dégageait était forte, mais agréable. Tout le monde parlait et plaisantait. Complètement étrangère à ce qui se déroulait tout autour, j'échangeais des regards complices avec Lucien, qui ne savait que quelques mots de la langue des Montagnais. Portelance tenta bien de nous traduire quelques blagues, sans grand succès.

Les Sauvages partagèrent tout ce qu'ils avaient avec nous. Un orignal venait d'être tué et c'était soir de fête. Le printemps avait été difficile et tous avaient le ventre creux.

— C'est pour ça que Tshishelnu est monté au poste du lac Chamouchouane avec son cousin, avait expliqué Portelance. Il est allé troquer quelques fourrures contre un peu de farine et des pois. Il ne pouvait pas aller à Métabetchouan. Il doit trop à Smith.

Lucien rit sous cape en hochant la tête.

— C'est toujours la même chose…

— Il paraît qu'il ne restait plus grand-chose au poste, ajouta Portelance. J'espère que la goélette est arrivée à Tadoussac avec le ravitaillement. On est quelle date, déjà ?

Lucien réfléchit.

—Le 2 juillet, évalua-t-il. Ce printemps a peut-être été difficile, mais le prochain sera encore pire.

—Pourquoi ça ?

—Toutes les cultures ont gelé dans la vallée du Saint-Laurent. Il n'y aura pas de récolte, dit Lucien d'un ton sombre. Je me demande bien avec quoi la Compagnie ravitaillera ses postes l'an prochain.

—Avec du whisky blanc, tiens ! lâcha Portelance, voulant détendre l'atmosphère. Bah ! Dans le temps comme dans le temps ! ajouta-t-il en soupirant avant de tirer longuement sur sa pipe.

Il avait raison. La soirée s'annonçait trop belle pour penser au lendemain. J'étais entourée de visages inconnus et pourtant... Pour la première fois depuis longtemps, je me sentais chez moi. Dans quelques jours, j'allais revoir mon père. Tout redeviendrait peut-être comme avant. Une lune blanche et froide s'était levée sur le lac. Je regardai avec envie les enfants courir et s'amuser sur la plage. Comme j'aurais voulu retrouver cette innocence, tout effacer ! Contemplant ce spectacle au clair de lune, une émotion intense me saisit. Une délicieuse rupture à l'intérieur de moi me fit réaliser soudainement qu'ici, j'étais libre, parfaitement libre, totalement libre. Rien ne m'empêchait de me joindre à eux. En mon cœur

et mon âme, des entraves que je n'aurais pu claire-
ment définir se brisèrent. Le rang et les convenances
n'étaient plus. Ou du moins avaient-ils rejoint
l'ordre des idées vagues et floues, des concepts creux
dont le sens m'échappait. Je me levai pour aller
jouer sur la plage. Trop heureux qu'un adulte se
joigne à eux, les enfants m'accueillirent à bras
ouverts. Ne comprenant rien à leurs explications, je
décodai par leurs gestes qu'ils jouaient aux oiseaux.
Je m'élançai à leur suite et déployai mes ailes sous
les étoiles.

En revenant vers mes deux compagnons, je me
rendis compte qu'il faisait froid. Le nordet s'était
levé sans crier gare. Malgré ma cape de laine, je me
mis à grelotter. Inquiets de mon état, les Sauvages
se mirent à parler de moi. Une femme m'apporta
une couverture et une autre me servit du bouillon
d'orignal bien chaud. Si j'avais trouvé ce brouet
délectable une heure avant, il me paraissait maintenant fade et gras. Je cessai de respirer et avalai d'une
traite le contenu de l'écuelle.

—Il faut manger pour arrêter de grelotter, me
conseilla Portelance. Encore heureux que tu aies
quelques rondeurs, parce qu'au train où ça avance…

Un arrière-goût que j'étais incapable d'identifier
me restait en bouche. On eût dit qu'une fine pelli-
cule de graisse tapissait ma langue et que rien ne
pouvait la faire partir. Lucien me tendit un morceau

de viande à peine grillée. Son aspect sanguinolent acheva de m'écœurer.

—J'ai mangé beaucoup de viande tout à l'heure. Je n'ai plus faim...

Et c'était vrai. À bien y penser, je ne comprenais plus comment j'avais fait pour apprécier ce bouillon et me régaler de cette viande presque crue. La fatigue me rattrapait.

—Je crois que notre équipée des derniers jours et les émotions des dernières heures m'ont épuisée, tentai-je d'expliquer en claquant des dents.

Lucien m'aida à me lever.

—Je crois qu'Ange-Élisabeth a besoin de se reposer, dit-il à Portelance.

Le nordet soufflait de plus en plus fort. Si bien que les Sauvages commencèrent à ranger leur matériel et à se mettre à l'abri dans leurs tentes. Nous saluâmes nos hôtes avant de nous diriger vers ce qui me parut, dans la pénombre, une maison abandonnée.

—Il y a déjà eu un poste de traite ici, me révéla Lucien. C'est tout ce qu'il en reste.

La charpente de ce qui avait dû être le magasin ou la maison du commis penchait dangereusement vers la droite et la porte n'ouvrait plus. Portelance la défonça d'un coup d'épaule. Une fois à l'intérieur, l'obscurité nous enveloppa.

—Est-ce qu'il y avait un fanal dans le canot? demanda Portelance.

—Non, répondit Lucien. Je pense qu'ils sont tous dans le canot à Poupart.

—Pas fort, maugréa Portelance.

—J'ai un reste de bougie dans mon sac à feu.

Même si je ne voyais rien, je devinai que Lucien avait sorti son bout de chandelle et que Portelance tentait tant bien que mal de l'allumer. Un bruit sourd m'indiqua que quelque chose venait de s'écraser sur le sol.

—Torrieu ! grinça-t-il. Ma pierre est tombée !

Excédé, Lucien soupira :

—Va chercher du feu au campement des Sauvages ! Moi, je vais aller chercher nos affaires au canot. Ce ne sera pas long, Ange-Élisabeth.

Quand la bougie jeta enfin sa lumière jaune sur les murs de notre taudis, je constatai qu'il ne restait plus rien à l'intérieur du vieux poste. Aussi me retrouvai-je assise sur le sol, emmitouflée dans ma cape de laine, à servir de bougeoir pendant que Lucien et Portelance cherchaient de quoi constituer un lit. Après qu'ils eurent entassé quelques branchages sur le sol, nous nous couchâmes. Les hommes avaient revêtu leurs capots, cousus dans des couvertures de laine de la Compagnie. Portelance m'invita à prendre place entre lui et Lucien, ce que je fis sans protester. Puis il nous recouvrit tous trois d'une très grande couverture supplémentaire, qu'il avait pris soin de plier en deux. Je soufflai la bougie.

Les bourrasques de vent faisaient craquer les vieilles planches. Par moments, je me demandais si les murs n'allaient pas s'effondrer. Petit à petit, la chaleur qui m'enveloppait eut raison de mes craintes. Alors que je sombrais dans le sommeil, j'entendis Lucien.

—Veux-tu mon bonnet, Ange-Élisabeth? Il fait vraiment froid. C'est presque pas croyable, on dirait qu'il va geler cette nuit. En juillet…

Je gardai le silence. J'avais aussi honte de mon comportement dédaigneux que peur d'attraper des poux.

—Elle dort déjà, chuchota-t-il. Bonne nuit, Jean-Cyrille.

—Bonne nuit, Lucien.

Chapitre 9

La journée la plus longue

Quand je m'éveillai, il faisait clair. Des rais de lumière bleutée passaient entre les fentes des planches de notre abri de fortune. À chacune de mes respirations s'élevait dans l'air une légère vapeur blanche. J'étais seule. Aux craquements de la toiture et aux sifflements des bourrasques, je compris que le nordet sévissait toujours. Le cri rauque d'une corneille domina la colère du vent. Je repensai avec nostalgie à ma chambre, dans la maison de mon père. Je fermai les yeux et imaginai Gaby frappant doucement à la porte pour m'apporter mon chocolat. Le cœur gros, je me levai et sortis. Arrivée sur la plage, le spectacle qui s'offrit à moi me coupa le souffle. Le lac était déchaîné. Les vagues, puissantes, formaient de longs rouleaux qui prenaient une teinte brune juste avant de s'échouer sur la grève. Ce formidable brassage laissait sur le sable des nuages d'écume jaunâtre. Le vent soufflait si fort que je n'entendais rien d'autre. Je restai de longues minutes au bord du lac, fascinée par le mouvement des eaux.

Je ne vis personne à l'extérieur des tentes. Trop timide pour essayer de trouver quelqu'un, je préférai rebrousser chemin et retourner à la cabane où nous avions dormi. Pressée par un besoin naturel, je me rendis à l'arrière et entrai sous la frondaison des bouleaux. Le froid était certes désagréable, mais au moins avait-il chassé les insectes piqueurs. Penchée en avant, je regardais mon urine s'écouler dans la mousse verte et former une fine vapeur lorsqu'un rire joyeux m'arracha à mes méditations. Deux Sauvages m'avaient surprise. Je me sentis rougir au-delà du possible. Des larmes de honte et de rage affluèrent à mes yeux. Je voulus fuir et, dans mon élan, ma cape s'accrocha à la branche d'un arbre tombé au sol. Je m'effondrai à quatre pattes et écorchai mes mains en cherchant à protéger mon visage.

Les deux hommes continuaient de rire et de deviser en s'approchant de moi. Ils ne semblaient aucunement gênés de la situation. Je me relevai vivement et replaçai mes vêtements. L'un d'eux me fit signe de les suivre, ce que je fis piteusement, les mains brûlantes. J'entrai derrière eux dans la tente la plus grande de leur campement. À l'intérieur, un feu était allumé. Mes yeux s'habituant à la pénombre et à la fumée, je reconnus la plupart des gens rencontrés la veille, de même que Lucien et Portelance. Je m'élançai vers eux, rouge et en larmes.

— Ange-Élisabeth, que t'est-il arrivé ? demanda Lucien en se levant.

Je cachai mon visage au creux de son épaule pour que personne ne voie mes larmes et lui tendis mes mains. Il les prit et les retourna dans les siennes.

— Quoi, ce n'est que cela ? Quelques éraflures ? Il faudra t'endurcir, ma petite.

— Quand la brigade viendra-t-elle nous rejoindre ? murmurai-je.

— Pas aujourd'hui, c'est certain ! Tu as vu le lac ?

Mes larmes jaillirent de nouveau.

— Nous sommes à combien de jours du lac Chamouchouane ?

— Tu devrais demander à combien de semaines…

Mon visage se décomposa encore davantage.

— Attends… Nous ne sommes plus qu'à une bonne semaine du poste.

— Une bonne semaine ? m'écriai-je. Mais cela fait treize jours que nous sommes partis ! Treize ! Le notaire Grandbois m'avait parlé d'environ deux semaines pour se rendre au lac Chamouchouane.

Lucien prit un air désolé.

— Écoute, Ange-Élisabeth. Tu as vu à quel point nous sommes chargés ? Il y a beaucoup de choses à transporter jusqu'au lac Mistassini. Ça nous ralentit

177

dans les portages. Sans compter ce qui est arrivé sur le Saguenay… On fait notre gros possible.

Je m'effondrai, le visage entre les mains.

—C'est juste que… J'ai tellement hâte de revoir mon père! Ah! Si tu savais à quel point il a pu me manquer!

—Je peux imaginer…

—Non, tu ne peux pas.

—Je pense que tu es fatiguée. Tu devrais profiter de cette journée pour manger et te reposer. Parce que si je ne peux pas imaginer à quel point ton père t'a manqué, eh bien toi, tu ne peux pas imaginer à quel point la prochaine semaine sera difficile.

Son ton s'était durci, quoique son visage fût toujours aussi bon et compatissant. Je me rappelai alors la promesse que je m'étais faite, la veille, d'affronter les prochaines épreuves avec plus de courage. Je reniflai et essuyai les quelques larmes restées accrochées à mes cils.

—Je serai courageuse. Pardonne-moi.

—Il n'y a rien à pardonner. Moi-même, je ne suis pas trop dans mon élément, par ici.

Je ris malgré moi.

—Tu ne le croiras peut-être pas, mais hier, autour du feu, je me suis sentie chez moi.

—Autour d'un feu, on se sent toujours chez soi.

—Tu viens d'où?

—Des Écureuils[1].

—Ce n'est pas si loin de Québec…

—Oh! Les grandes villes, ça ne me dit rien. Les gars ont raison quand ils me traitent d'habitant. Je ne suis pas du même bois qu'eux. Je ne pourrais jamais être hivernant comme Portelance ou McIntosh.

—Hivernant?

—Oui, passer des hivers en haut. Moi, je monte et je descends chaque été pour me faire de l'argent. J'ai la force et le physique qu'il faut, alors je le fais. Sauf que je n'aspire pas à devenir un boutte ou un commis.

—Tu aspires à quoi?

—À ce que souhaitent bien des Canadiens. Une terre à moi, une femme, des enfants. Il n'y a plus vraiment de place dans les paroisses au bord du fleuve, mais je sais qu'ils ouvrent de nouveaux rangs dans les terres. Quand j'aurai ce qu'il faut, je vais pouvoir m'établir. En attendant, j'aide mon frère et mon père aux travaux d'hiver. Je n'ai pas le cœur à aller travailler dans les chantiers de construction navale à Québec, comme Michaud. Je préfère attendre le printemps dans mon coin de pays. Même si je ramasserais plus vite si je me décidais à y aller… Et toi?

---

1. Village aujourd'hui situé sur le territoire de la ville de Donnacona.

Il avait un sourire en coin.

—Moi?

—Oui! Qui d'autre? Tu dois bien avoir des aspirations, des rêves?

Je restai muette. Avais-je des aspirations autres que celle de devenir l'épouse du plus riche marchand-négociant de Québec? Je me rendis compte de la vacuité de mon existence. Lucien ne me laissa pas la chance de répondre.

—Ah! Inutile de me donner des détails. Ta vie est déjà toute tracée! J'ai entendu entre les branches le nom de ton fiancé. Tu n'es pas destinée à n'importe qui!

Il me sourit et se leva pour aller demander s'il pouvait prendre du thé. La femme à qui il s'adressa parlait un peu français.

—Oui, oui! Prenez ce que vous voulez!

Les enfants faisaient un vacarme épouvantable en cognant toutes sortes d'objets contre la grosse marmite de cuivre bosselée qui avait été rangée dans un coin de la tente. Curieusement, personne ne les réprimandait. Ils finirent par se lasser de ce jeu et vinrent me voir en sautillant. Ils me demandèrent quelque chose à plusieurs reprises. Malgré leurs gestes appuyés, je n'arrivais pas à les comprendre. Je me tournai vers Portelance pour avoir de l'aide. Non loin de moi, il était en grande conversation avec un groupe de femmes et de jeunes filles. Il les faisait rire constamment. Je me demandai ce qu'il pouvait bien leur raconter. Voyant que je ne les comprenais pas, les enfants sortirent de la tente. Deux femmes les suivirent en les exhortant à je ne sais quelle consigne. Lucien revint s'asseoir à mes côtés. Épaule contre épaule, nous partageâmes en silence le thé robuste qui lui avait été servi. Il n'y avait presque plus d'hommes dans la tente.

—Où sont-ils tous allés?

—Chasser, peut-être... Je ne sais pas...

—Par ce temps?

Lucien rit doucement en secouant la tête.

—Ces hommes en ont vu d'autres.

—Et ils resteront sur cette pointe combien de temps?

—Il y a toujours des Sauvages qui campent sur la pointe Bleue pendant l'été. L'hiver, chaque famille retourne dans son territoire de chasse.

Je pensai aux grands froids que nous avions connus l'hiver dernier. Comment faisaient les Sauvages pour s'accommoder d'un pareil mode de vie? Lucien sortit sa pipe et son tabac de son sac à feu, constitué de la peau entière d'un petit animal à fourrure que je n'aurais su identifier. Contrairement aux autres voyageurs de la brigade, qui avaient des sacs décorés de piquants de porc-épic ou de perles de verre, le sien était orné d'un large ruban joliment brodé… à la manière des Ursulines ! Je ne pouvais m'y tromper.

— Ta fiancée de Trois-Pistoles a été pensionnaire chez les Ursulines ? demandai-je.

Lucien prit un air grave.

— Je n'ai pas de fiancée, nia-t-il sur un ton impossible à interpréter. Et celle qui a brodé ce ruban n'est pas de Trois-Pistoles.

Je n'osai le questionner davantage. Une fois sa pipe bourrée, il se leva pour l'allumer au feu qui crépitait au centre de la tente. Il se dirigea ensuite vers Portelance et son groupe d'admiratrices. Lucien s'intégra rapidement à la conversation, qui devait être très drôle puisqu'il se mit à rire d'une manière qui m'agaça au plus haut point. Je les observai à la dérobée. Les jeunes filles s'amusaient à toucher les joues couvertes de barbe de mes deux compagnons, qui ne s'étaient pas rasés depuis le poste de Chicoutimi. Elles gloussaient au contact des poils drus en faisant la grimace. La jalousie me prit au dépourvu. Je me détournai et m'étendis sur le sol couvert de branches de sapin.

Je n'avais rien pour m'occuper. Aussi fus-je condamnée à les entendre ricaner et s'amuser pendant assez longtemps. Trop longtemps. Plusieurs fois, je dus lutter contre la curiosité pour ne pas me retourner. Enfin, une main se posa sur moi.

— Ange-Élisabeth ?

C'était encore Lucien. Pourquoi Portelance m'ignorait-il? Il ne m'avait pas adressé la parole depuis le matin.

— Quoi? fis-je un peu trop durement pour ne pas être démasquée.

— Tu boudes?

Je me tournai vers lui.

— Non! Pourquoi je bouderais?

— Je me le demande… Tu aurais voulu toucher ma barbe, toi aussi?

Il se pencha et me tendit la joue.

— Pour ta gouverne, sache que j'ai déjà eu l'occasion de toucher la barbe d'un homme!

— Tant pis pour toi! Tu aurais dû en profiter parce que Portelance et moi allons nous raser à l'instant.

— Grand bien vous fasse!

— Qu'est-ce que tu as, ce matin? s'impatienta Lucien.

— Je ne sais pas, avouai-je, toujours au bord des larmes. Portelance m'ignore complètement. Ai-je fait quelque chose qui lui a déplu? Et toi, tu m'abandonnes à mon sort pour aller…

Lucien soupira.

— Enfin, Ange-Élisabeth, ne comprends-tu pas? Si Portelance te demandait de coucher avec lui, tu répondrais quoi?

Estomaquée par la trivialité de sa question, l'air me manqua. Il me fallut quelques secondes avant de pouvoir parler.

—Grands dieux, je répondrais non!

—Et moi, si je te faisais des avances, tu m'enverrais paître, n'est-ce pas?

Je lui répondis par un signe affirmatif en rougissant.

—Dans la brigade, nous savons tous que tu n'es pas de notre monde. Même avec des intentions honnêtes, nous serions repoussés, tous autant que nous sommes. Tu es hors de notre portée. Alors, à quoi bon chercher à te séduire plus qu'il n'est convenable?

Portelance arriva derrière lui.

—Qu'est-ce qu'elle a, notre petite Ange-Élisabeth?

—Je pense qu'elle a mal dormi, répondit Lucien.

—Mal dormi? C'est nous qui avons mal dormi! Elle a ronflé toute la nuit!

J'allais protester lorsque Portelance me sourit comme lui seul savait le faire.

—Allez, bonne journée! À ta place, je resterais au chaud sous le chapitoine[2]!

—À plus tard, Ange-Élisabeth, me salua Lucien.

---

2. Du nelueun *shaputuan*, longue tente avec une ouverture à chaque extrémité.

Tous deux sortirent, me laissant seule avec quelques vieilles femmes. Cette journée me parut la plus longue de toute ma vie.

～

Le soleil allait se coucher quand je me décidai à regagner le poste désaffecté. Plusieurs hommes étaient rentrés au chapitoine. En revanche, je n'avais toujours aucune nouvelle de Lucien ou de Portelance. Je tentai de saluer mes hôtes, seulement personne ne fit attention à moi. Je sortis dans la froide pénombre du jour mourant. Le nordet était enfin tombé. Seule face au lac, je songeai à la suite du voyage. Lucien m'avait prévenue que ce serait difficile. Je frissonnai. En empruntant le même sentier que la veille, je retrouvai sans peine le vieux poste. Rien n'avait bougé dans la pièce où nous avions dormi. Tremblante de froid, et de peur aussi, je me blottis sous la grande couverture.

Quelques minutes plus tard, j'entendis venir quelqu'un. Je me redressai vivement.

—Qui est là ? demandai-je.

Lucien parut dans l'entrebâillement de la porte.

—Ce n'est que moi.

Il s'approcha.

—Tu trembles ?

—Oui, j'ai froid.

Il retira sa ceinture à flèches, puis son capot de laine. Il me le tendit.

—Enlève ta cape et mets ça à la place.

Je lui obéis. Il rabattit le capuchon sur ma tête et m'enveloppa dans la grande couverture que Portelance avait rapportée la veille.

—As-tu mangé quelque chose?

—Non.

—Les Sauvages ne t'ont rien donné? fit-il, incrédule.

—Ils m'ont offert ce qui s'apparentait à un ragoût de lièvre, je crois. Ça sentait trop fort, je n'ai pas pu. J'ai seulement mangé un peu de leur pain en forme de galette[3].

Lucien secoua la tête. Il sortit un morceau de pemmican d'un sac resté sur le sol à côté de sa ceinture et me le donna.

—Fais un effort. Tu dois manger. Ce n'est pas le temps de faire la difficile. Pas maintenant. Il n'y a plus aucun poste d'ici au lac Chamouchouane et il faudra bien que tu manges ce qu'il y a. Tiens, assieds-toi, je reviens.

Je m'efforçai de manger le pemmican qu'il m'avait proposé. Il revint quelques minutes plus tard avec une bassine d'eau tout en écorce.

---

3. Banique.

—Elle est presque chaude. Tu pourras faire un brin de toilette pendant que je vais te chercher du thé.

Il noua sa ceinture sur sa chemise et me montra du doigt son sac à feu, resté par terre.

—Tu prendras ce qu'il te faut pour allumer la bougie. On n'y voit plus rien.

Il allait sortir, mais voyant que je ne bougeais pas, il se retourna. Son regard se fit interrogateur.

—Je ne sais pas faire du feu, lui avouai-je.

En silence, il revint vers moi et prit son sac. Il me demanda de tenir la bougie. Puis, avec l'aide d'un morceau d'amadou, d'une pierre à fusil et d'un batte-feu, il enflamma un morceau d'écorce de bouleau. Après y avoir allumé la bougie, il écrasa au sol l'écorce qui achevait de se consumer et sortit sans se retourner.

À mi-chemin entre mon père et mes amis, comme je me sentais loin de tous ceux qui m'aimaient! L'espoir de revoir mon père vivant m'avait donné le courage de me rendre jusqu'à cette pointe. Mais maintenant que je le savais sain et sauf, mes forces m'abandonnaient. Je cherchai vainement un mouchoir propre dans mon sac. Je finis par me résigner à en prendre un sale et le plongeai dans l'eau qui refroidissait à toute vitesse. Je fis ma toilette machinalement, tout en réfléchissant aux événements de la journée. Oui, j'étais jalouse des autres femmes. J'aurais voulu que Portelance et Lucien s'intéressent à moi de la même façon qu'ils s'intéressaient à elles. Ils m'avaient séduite. Par leurs gestes, leurs attentions de tous les jours. Ce soir, j'aurais voulu que l'un d'eux me choisisse comme amante. Le simple fait de penser qu'ils pouvaient me préférer d'autres jeunes filles me rendait triste et misérable.

Ils m'avaient tous envoûtée. Je me surpris à penser au dos tatoué de Boulette, aux jambes cuivrées d'Aishpanu, aux yeux bleu clair de Chipewyan, à la poitrine glabre de Tshinisheu et à ses longs cheveux noirs... Leur pouvoir d'attraction ne s'arrêtait pas à leurs physiques, il émanait aussi de leur manière d'être. La démarche désinvolte de McIntosh, les gestes patients de Thierry, la façon dont Poupart expirait la fumée de sa pipe, en avançant le menton...

Lucien revint. Il marchait doucement pour ne pas renverser le thé. Je bus quelques gorgées tandis qu'il s'étendait à mes côtés. Il se releva sur un coude et appuya sa joue contre sa main. La chemise de lin qu'il portait était sale. À cause du froid, il en avait déroulé les manches, ce qui avait laissé sur le tissu des stries noires à intervalles réguliers. Ses mitasses de drap bleu étaient courtes et je pouvais voir le haut de ses cuisses. Contrairement à la plupart des autres voyageurs de la brigade, il n'avait aucun tatouage pour orner la bande de peau qui s'offrait à la vue des indiscrets. Il me regardait intensément. Je m'éclaircis la voix.

— Portelance n'est pas là ?

— Non ! Et pour être franc, je crois qu'on ne le verra pas cette nuit.

Je ne savais plus où regarder.

— Tu cherches quoi ?

— Non, je…

— Tu n'es plus jalouse au moins ?

— Non.

— Tu vois, je suis revenu m'occuper de toi. Même si c'est un jeu dangereux.

Voyant que j'avais fini de boire le thé, il reprit son écuelle, souffla la bougie et se coucha à côté de moi.

— Tu n'as plus froid, avec mon capot ? me demanda-t-il.

— Non.

— Tu ne sais dire que non, ce soir ?

À son ton, je compris qu'il n'était pas vraiment sérieux. J'éclatai de rire.

— Tu sais ce que je ferais si ton cœur et le mien étaient libres ? continua-t-il.

— Non.

— Je ne t'embrasserais pas sur la joue.

Il se pencha sur moi et baisa ma joue.

— Sauf que tu n'es pas libre et moi non plus, termina-t-il en se recouchant.

Dans la noirceur, il était plus facile de parler. Aussi osai-je lui poser quelques questions.

—Celle que tu aimes est une Sauvagesse?

—Non, j'aime la fille d'un seigneur.

Interloquée, je ne me risquai toutefois à aucun commentaire.

—Et Portelance?

—Je ne sais pas s'il a déjà été amoureux.

—Il a une préférence pour les Sauvagesses, n'est-ce pas?

—Pourquoi cette question?

—J'ai toujours entendu parler des Canadiens et des Sauvagesses, jamais du contraire. Y a-t-il des Canadiennes qui ont épousé des Indiens?

—Ah! Aucun risque! Les Canadiennes sont trop bien gardées par leurs parents. Et je sais de quoi je parle. Être un homme vaillant et habile de ses mains n'est plus suffisant pour se marier dans la vallée du Saint-Laurent.

Ses propos étaient remplis d'amertume. Il poursuivit:

—De toute façon, tu es une des premières Blanches à passer par ici. L'autre avant toi, c'était la femme de Picote. Avec une aux six ans, les chances qu'un mariage se fasse entre une Canadienne et un Sauvage ne sont pas très élevées.

Il réfléchit un instant.

—J'y pense, tout à coup… Oui, il y a eu au moins un mariage entre un Sauvage et une Canadienne. Aishpanu a marié une Blanche. Mais elle est morte.

Aishpanu était donc veuf? Lucien ne me laissa pas réfléchir davantage. Il se rapprocha de moi jusqu'à ce que sa poitrine touche mon dos. Puis il passa son bras autour de ma taille. Je cessai de bouger et attendis la suite, le cœur battant. Il ne fit plus aucun mouvement. Par la suite, ses ronflements me confirmèrent qu'il s'était endormi. Je glissai ma main dans la sienne et fermai les yeux.

Chapitre 10

L'étang de la savane

—Ils sont là! criait Boulette, au-dessus de moi. Levez-vous, bon sang de bon Dieu! Il est passé six heures! Hein, que t'as pris du bon temps, mon Copeau de micouenne! Hein, que ça va me faire une belle histoire à conter au coin du feu!

Lucien se leva vivement. Comme je m'apprêtais à protester contre les insinuations de Boulette, il me fit signe de me taire.

—Ça ne vaut même pas la peine, Ange-Élisabeth.

Aishpanu apparut dans le cadre de la porte.

—Qu'est-ce que vous faites? Je pensais que vous nous attendriez, prêts à partir! Vite! Heureusement que les gars ont vu votre canot sur la plage. Ils l'ont chargé...

Il plissa les yeux en regardant la couverture pliée en deux sur le sol.

—Vous avez sorti une couverture à cinq points[1] ? demanda-t-il d'un air mécontent. Pourquoi ? Il vous a pris des idées de grandeur ?

—Mademoiselle avait froid, se défendit Lucien.

—Ça te prendra une histoire plus convaincante ! Je ne voudrais pas avoir à la faire déduire de tes gages.

Le guide se détourna de nous pour repartir, mais je le retins.

—Aishpanu ! appelai-je.

Il me fit face et je le trouvai encore plus impressionnant que d'habitude. Il avait tressé ses cheveux et revêtu ce qui ressemblait à une redingote en peau, magnifique, entièrement décorée de motifs floraux verts, rouges et jaunes. Ce vêtement lui donnait l'allure d'un prince venu de contrées lointaines. Au lieu de le regarder dans les yeux, je fixai la lanière de cuir ornée de dents qui lui barrait le front. On aurait dit des crocs de loup.

—Mon père est vivant ! lui annonçai-je.

Il eut l'air sincèrement heureux.

—Je suis bien content pour vous, mademoiselle. Bien content !

Il attendit que je le regarde dans les yeux avant de poursuivre.

---

1. Couverture de laine dont la grandeur était marquée par d'étroites lignes noires, appelées «points», tissées dans l'un des quatre coins. Plus il y avait de points, plus la couverture était grande.

—Dans une semaine, vous serez à votre place, entre ses bras.

Ses paroles m'allèrent droit au cœur. Il fit volte-face et sortit pour aller chercher Portelance au campement des Sauvages. Sous le regard amusé de Boulette, je rendis à Lucien son capot pour revêtir ma cape de laine. Dehors, la lumière crue du jour me fit mal aux yeux. Toute la brigade attendait sur la petite plage où nous avions débarqué l'avant-veille. Les taquineries fusèrent de toutes parts. Je rougis sans mot dire. Aishpanu et Portelance rejoignirent la troupe quelques minutes plus tard, accompagnés de quelques Sauvages. Ces derniers devisaient en riant avec Aishpanu. Portelance s'approcha de Lucien et moi, un grand sourire aux lèvres.

—T'as donc bien l'air content, Portelance, discerna le Calumet.

—C'est parce qu'il a pu manger de la panse de caribou ! lança McIntosh.

—Essayez toujours, je ne vous dirai pas ce que j'ai mangé ! claironna Portelance.

Le temps de terminer leur pipe et tous étaient rembarqués, tuque sur la tête et capot sur le dos. Lucien prit la peine de remettre sur mes épaules la fameuse couverture à cinq points.

—Garde-la avec toi. Il fait vraiment froid.

—J'ai de l'argent, je peux la payer…

—Laisse, Ange-Élisabeth. Aishpanu va nous arranger ça.

Les eaux étaient parfaitement calmes ; un pur miroir. Après avoir contourné la pointe Bleue, nous continuâmes notre route vers le nord, longeant le bord du lac. Pendant que j'étais absorbée à scruter la rive, sans cesse changeante, mais toujours formée d'une même forêt verdoyante aux essences infinies, je n'avais pas remarqué que nous étions entrés dans une baie et que nous pouvions maintenant apercevoir enfin l'autre rive du lac. Bientôt, je constatai que les berges se rapprochaient de plus en plus et compris que nous naviguions sur une rivière. C'était la Chamouchouane. Son embouchure était parsemée de quelques îles peuplées de bouleaux et de trembles. N'eût été le ciel couvert, j'aurais pu trouver ce pays accueillant. Les nuages – ou peut-être n'était-ce que la brume matinale – étaient si bas qu'ils s'accrochaient et s'effilochaient à la cime des arbres. La rivière, silencieuse bien que puissante, condamnait les voyageurs à ramer avec force et sans relâche pour avancer à contre-courant. Poupart entonna une chanson triste qui seyait parfaitement au temps maussade. Par son chant, cet homme aux manières un peu rustres savait émouvoir. Dans certains passages, sa voix prenait des intonations légèrement éraillées qui ajoutaient un accent de vérité aux paroles et aux airs tragiques qu'il affectionnait.

Je resserrai ma couverture autour de moi et me laissai bercer par sa complainte.

J'en étais à penser que la rivière était large et agréable à naviguer quand j'entendis au loin le bruissement des premiers rapides. Lorsque nous nous en fûmes suffisamment rapprochés, je pus mesurer en un coup d'œil toute la force et la vigueur de la rivière Chamouchouane. Des cascades bouillonnantes surgissaient de toutes parts pour former un lit d'écume impraticable, semé de noirs remous et de saillies rocheuses. Les hommes sortirent les canots avec précaution, après les avoir délestés d'une partie de leur charge. Le portage n'était pas long. Cependant, les roches limoneuses sur lesquelles nous dûmes marcher étaient aussi glissantes que de la glace mouillée. Aishpanu, qui portait trois ballots sur son dos, me prit par le coude et m'aida à me rendre là où les canots devaient être remis à l'eau. Assise sur un rocher, je regardai les hommes transporter canots et paquets jusqu'à mes pieds. Avant de rembarquer, ils fumèrent une pipe.

—Est-ce qu'on monte le reste à la perche ou à la cordelle[2]? s'informa Plumeau.

Il soufflait sur ses doigts repliés pour les réchauffer. Aishpanu réfléchissait, les yeux fixés sur la rivière.

—À la perche, voyons! s'impatienta Boulette.

----

2. Haler le canot avec une corde jusqu'en haut des rapides.

—À la perche, oui, et en longeant la rive, ajouta Aishpanu.

Les hommes mirent peu de temps à trouver dans les bois environnants les longues perches dont ils avaient besoin. Quelques coups de hache suffirent pour les rendre convenables. Ils les distribuèrent à chacun et remirent les canots à l'eau. À peine étions-nous repartis que déjà nous arrivions au pied d'autres rapides. Les premiers à s'y aventurer furent Chipewyan et Poupart, qui avaient pour passager le cartographe Blackwood. Pendant que Chipewyan avironnait, Poupart, debout à l'arrière, poussait le canot en appuyant sa longue perche sur le fond de la rivière. Sous l'impulsion de chaque poussée, le canot avançait par à-coups sur les eaux agitées. Poupart criait parfois à Chipewyan des instructions que je ne pouvais saisir à cause du bruit assourdissant des eaux vives qui se brisaient sur les rochers. Chipewyan maniait l'aviron tantôt à gauche, tantôt à droite, changeant de main avec une agilité surprenante. Petit à petit, le canot grimpa jusqu'en haut des rapides. Les deuxièmes à se lancer furent Louis-Jos et Plumeau. Leur canot progressa quelque peu, avant que la perche dont se servait Louis-Jos ne glisse et que le canot ne revienne à sa position de départ, sous les quolibets du reste de la brigade. Après quelques essais infructueux, Louis-Jos eut la mauvaise idée de se plaindre.

—Ça glisse, maudit torrieu! Il y a trop d'eau!
On aurait dû y aller à la cordelle…

—À la cordelle, hein? Une perte de temps!
affirma Boulette, catégorique.

—Une idée de cultivateur! renchérit Michaud.

—Tu viens des Trois-Rivières, toi, non? commença le Calumet, en hochant la tête.

—Oui, pourquoi? Qu'est-ce que tu veux insi-
nuer? s'insurgea Louis-Jos, visiblement tendu.

—Que les gars de ce coin-là ont tendance à…

—À quoi? s'énerva Louis-Jos.

—Je ne sais pas trop comment te dire ça…

—Dis-le, vinguienne, qu'on en finisse!

Louis-Jos semblait maintenant hors de lui. L'hu-
miliation de son échec au maniement de la perche
combinée aux sarcasmes de ses compagnons avait eu
raison de son calme légendaire. Le Calumet, un
sourire en coin, le tenait en haleine.

—Si c'est pour te mettre dans cet état, continua-
t-il.

—Tu ferais bien de lâcher ta pipe, Calumet de
malheur, si tu penses être capable de monter en haut
avec une perche. Crache-le, ton morceau contre les
gars des Trois-Rivières!

—Je voulais juste dire qu'ils avaient tendance à
s'énerver pour rien. Et là, tu me donnes raison.

Les hommes autour ne purent s'empêcher de
rire. Le Calumet poursuivit sur sa lancée:

—Mon Boulette, attache ta tuque, on va montrer aux gars des Trois-Rivières comment on monte ça à la perche, un rapide.

Le Calumet et Boulette prirent d'assaut une première cascade. Assis entre eux, Shaw, l'arpenteur-géomètre, jeta un regard inquiet dans la direction d'Aishpanu. Les deux canotiers d'expérience n'eurent aucun mal à atteindre le haut des rapides. Il ne restait plus qu'un ultime sault à gravir quand subitement, le nez du canot fut pris dans le courant.

—Laisse aller! cria le Calumet avec une telle force que, du pied des rapides, nous l'entendîmes distinctement.

En essayant de retenir l'embarcation, Boulette cassa son aviron. Le canot oscilla dangereusement avant de faire un violent tête-à-queue. Hommes et marchandises faillirent tomber à l'eau. Le Calumet, assis à l'arrière, dut à lui seul diriger l'embarcation dans les puissants bouillons pour descendre jusqu'en bas. Une fois tout danger écarté, Louis-Jos, Plumeau et les autres s'esclaffèrent. Renfrogné, le Calumet s'en prit à Boulette, qui n'en menait pas large.

—Je t'avais dit à gauche, malédiction! À gauche! Même pas capable de tenir le nez du canot dans le fil de l'eau! En plus, t'as failli nous faire chavirer, avec tes manœuvres de débutant! T'as l'air fin, là, avec ton aviron cassé! Grand insignifiant!

Pris entre les deux, Shaw avait le teint blême. Si leur mésaventure avait coûté un aviron à Boulette, elle avait donné du courage à Louis-Jos et à Plumeau, qui retentèrent leur chance. Pied par pied, ils réussirent cette fois à vaincre les eaux tumultueuses. Tout de suite après eux, Ush et Michaud n'eurent aucune difficulté à gagner le haut des rapides. Il en alla autrement pour Thierry et McIntosh. Malgré les prières du père Dandurand, leur passager, ils durent recommencer par deux fois, sous les conseils d'Aishpanu. Armé d'un aviron de rechange en cèdre, Boulette se reprit avec le Calumet. Tout au long de leur ascension, on entendit Boulette vociférer contre le cèdre et porter aux nues le tilleul, la seule essence qui selon lui méritait de servir à la fabrication des avirons. Lorsque ce fut notre tour, j'invoquai la bonne sainte Anne. À mon grand soulagement, Portelance et Lucien réussirent un sans-faute. Debout à l'arrière, Portelance était si solide qu'on aurait dit qu'il avait les pieds enfoncés dans la glaise. Les derniers à monter furent Tshinisheu et Aishpanu.

—Allumez ! annonça ce dernier.

Pendant que les hommes fumaient, je puisai de l'eau dans la rivière avec le casseau d'écorce que m'avait fabriqué Lucien. Je n'avais rien bu ni mangé depuis le matin. L'eau glacée tomba dans mon estomac vide comme une pierre froide.

La Chamouchouane n'était qu'une succession de chutes, de cascades et de rapides, tous différents, tous surprenants. La remontée se modulait en une recherche constante de stratégies dont la pertinence m'échappait totalement. Dans les discussions, il était toujours question de la hauteur des eaux, de la force du vent, des courants, des remous, des rochers… Les subtilités prises en compte me semblaient infinies. S'ils n'utilisaient pas la perche, les hommes tiraient à la cordelle. Il me fallait tantôt débarquer, tantôt rembarquer, comme tous les passagers. Les voyageurs n'hésitaient pas à se plonger jusqu'à la taille dans l'eau glacée pour guider les canots entre les rochers. Je compris rapidement qu'ils étaient prêts à tout pour éviter de portager. Souvent, la nature ne leur laissait d'autre choix que de décharger entièrement les embarcations et de porter leur cargaison à dos d'homme. Dans l'espoir de gagner un peu de temps, les voyageurs se chargeaient alors à la limite du possible. Je vis même Boulette porter cinq ballots d'un coup. Avant de réussir à maîtriser son équilibre et à prendre sa lancée, il était parti vers la gauche, puis vers la droite, entraîné par le poids de sa charge.

—Arrête de boire du rhum en cachette! l'avait taquiné Poupart.

La pluie, qui nous avait si souvent épargnés, se mit de la partie. Un crachin désagréable tombait

maintenant continuellement, détrempant nos vêtements et me glaçant jusqu'aux os. Les hommes,
actifs et constamment à l'effort, ne semblaient pas
trop en souffrir. Pour moi qui devais presque toujours rester immobile, il en allait tout autrement.
Mes pieds, que je n'avais pas eu le choix de mouiller
en longeant la rivière lors d'un portage, commen-
çaient à me faire mal tant ils étaient gelés. Je sentis
le froid prendre lentement possession de mon corps
et se frayer un chemin jusqu'à mon cœur.

De temps en temps, pour réchauffer ses mains,
Lucien enfilait des mitaines en peau doublées de
fourrure. Des mitaines, en plein été… Décidément,
l'année 1816 resterait dans les annales[3]. Mis à part
ma cape de laine, qui n'était aucunement adaptée à
la situation, je n'avais rien apporté pour me réchauffer. À me voir grelotter et claquer des dents, les
hommes finirent par avoir pitié de moi. Lucien me
laissa sa tuque de laine rouge et Aishpanu me prêta
ses mitaines. Je pris mon mal en patience, gardant
stoïquement le silence.

La première nuit, notre repos fut de courte durée.
Nous dormîmes sur une pointe de sable en bordure
de la rivière et, dès les premières lueurs de l'aube,

---

3. L'année 1816, aussi appelée l'«année sans été», fut marquée par
d'importantes perturbations du climat. Ces bouleversements étaient
attribuables aux éruptions volcaniques survenues en 1815 au mont
Tambora, en Indonésie.

les hommes poursuivirent leur remontée. Après une deuxième journée éreintante, nous dressâmes notre campement juste en haut des chutes à l'Ours. En attendant ma pitance, je m'approchai du feu à me brûler la peau. La bruine qui nous avait suivis tout au long du jour cessa enfin. Ce fut le prétexte qu'attendaient les hommes pour boire un coup de rhum. Ils m'en offrirent et j'acceptai sans hésiter. L'alcool réchauffa mon âme et m'enveloppa d'une douce torpeur. Aishpanu prit le temps de venir me voir pour m'encourager un peu. Il me conseilla de retirer mes bottines mouillées pour les faire sécher et me remit une paire de chaussons en laine. Les hommes s'en servaient comme doublure dans leurs mocassins. Après avoir mis le linge à sécher, nous nous entassâmes sous les canots pour dormir. Malgré toutes les attentions de mes compagnons, je n'arrivais pas à trouver le sommeil. Pourtant, plus rien ne me dérangeait : les odeurs, la fumée, les raclements de gorge et les crachats me laissaient maintenant parfaitement indifférente. Toute la nuit, j'écoutai la rumeur de l'eau glissant sur les rochers. Ma fatigue n'était pas la même que la leur. Mon épuisement était ailleurs.

Les journées du lendemain et du surlendemain se déroulèrent de la même façon. Avironner, pousser avec les perches, cordeler, portager… La pluie intermittente et le froid ne venaient pas à bout des hommes. Même si le temps s'acharnait contre nous, ils trouvaient toujours une occasion de s'amuser un peu. Néanmoins, et je le voyais bien, la lassitude creusait leurs visages et l'épuisement alourdissait leurs pas. Le portage pour éviter le redoutable sault de la Chaudière fut particulièrement pénible. Le sentier se composait de rochers glissants et de passages étroits où il fallait se frayer un chemin entre les branches des amélanchiers, des saules et des sureaux. Thierry me précédait de quelques pas. En dépit de toutes les précautions qu'il déployait pour me protéger, une branche d'amélanchier s'accrocha aux ballots qu'il portageait et vint me cingler cruellement le visage. La douleur fut si vive que je ne pus m'empêcher de pleurer.

—Ça va, mademoiselle? me cria-t-il sans s'arrêter.

—Oui, oui...

J'épongeai le sang qui coulait sur ma joue avec un mouchoir sale et poursuivis ma route, de peur de perdre Thierry des yeux. Un peu plus loin, le sentier empruntait un vieux brûlé[4]. Les branches sèches des arbres calcinés déchiraient tout. Cette traversée laborieuse acheva de mettre ma cape en lambeaux. Entre les chicots, j'aperçus les chutes de la rivière, énormes, violentes et magnifiques.

_____

4. Partie de forêt qui a subi les ravages du feu.

Ensorcelée par leur beauté sauvage, je m'avançai prudemment sur un cap rocheux en surplomb et longtemps, je restai debout à en admirer toute la puissance.

Après un autre portage beaucoup plus facile, la rivière s'élargit et nous rejoignîmes tout en douceur la confluence de la rivière Chigoubiche. Nous nous arrêtâmes en ce lieu pour y passer la nuit. Même si la pluie avait cessé depuis un bon moment, Thierry eut de la difficulté à rassembler du bois sec pour le feu. J'errai un peu dans la forêt en sa compagnie. La végétation avait changé. Les épinettes et les sapins dominaient par leur abondance et leur majesté. De délicieux effluves flottaient dans la fraîcheur du soir. Je respirai profondément pour m'enivrer des odeurs de bois humide, de mousse, de résine, et de ce parfum sucré et suave qui me chavirait le cœur. Mon ivresse fut de courte durée, car je tombai nez à nez avec un crâne d'animal. Accroché à un arbre, juste à ma hauteur, il me fixait de ses orbites vides. Subjuguée, je reculai de quelques pas pour m'apercevoir qu'il n'y en avait pas un seul, mais bien une dizaine, de toutes espèces. Ces crânes étaient fixés au tronc d'une épinette, l'un par-dessus l'autre, du plus grand au plus petit.

—C'est le vieux Napeukamatet[5] qui a fait ça, m'expliqua Thierry. Pour avoir de la chance à la chasse.

Aux branches de l'arbre pendaient aussi toutes sortes d'ossements. L'ensemble était lugubre. Qui était ce Napeukamatet et que pouvait-il bien faire dans ce coin perdu ? Je me dépêchai de revenir auprès de mes compagnons.

—Auriez-vous vu le loup, mademoiselle ? me demanda Chipewyan. Vous m'avez l'air bien apeurée.

Je lui souris sans répondre. Thierry fit un bon feu et mit du maïs à cuire. Tous prirent leurs aises. Morte de fatigue, je m'étendis non loin des flammes, enroulée dans ma couverture. J'avais l'impression que jamais je ne pourrais me réchauffer.

—Le temps s'est détraqué, commença le Calumet. Un mauvais printemps, quelques jours de chaleur et déjà l'automne.

—Moi, je n'ai jamais vu ça, continua Poupart. Une année sans été...

—J'ai regardé un peu ici et là, tout à l'heure... C'est sûr et certain qu'il n'y aura pas de bleuets cette année, affirma Chipewyan.

—Je me demande si la saison est pareille dans les Pays d'en Haut, dit Louis-Jos. J'ai failli me décider

---

5. Homme qui pleure.

à y retourner, cette année. Ce sera pour l'année prochaine.

—Ah! Les Pays d'en Haut, murmura Michaud, d'un ton nostalgique. C'était le bon temps.

—Moi, c'est sûr que j'y retourne l'année prochaine, affirma Portelance. Je suis prêt à signer pour cinq ans. Noré va s'engager aussi. Pensez-y, on pourrait s'arranger pour être de la même brigade. Ça nous rappellerait des souvenirs.

—Noré va y retourner? demanda Michaud. Je pensais qu'il préférait l'air de par ici.

—J'ai peut-être mal compris, lui répondit Portelance.

De mon coin, je les observais et les écoutais parler de tout et de rien. Ils étaient sales, barbus et fourbus. Pourtant, au lieu de rêver d'un bon lit, de vêtements propres, de mets délicats, ils rêvaient d'autres voyages.

—C'est fini, pour moi, les Pays d'en Haut, déclara Boulette. Je ne suis plus capable de me faire dire quoi faire.

—On a remarqué, ricana Aishpanu.

—Le seul bourgeois que je peux encore supporter, c'est Connolly.

—Je pourrais monter avec toi et Noré, proposa Chipewyan à l'intention de Portelance. On dit qu'il y a de plus en plus de monde qui s'installe à la rivière Rouge. J'aimerais bien voir ça.

—À ce que m'a dit Connolly, ça gronde dans les parages, intervint Aishpanu. Ça va mal finir, toutes ces histoires-là…

—Moi, c'est Michillimakinac que je voudrais revoir, évoqua Plumeau. Il reste peut-être du monde qu'on connaît dans ce coin-là…

—Michillimakinac, ça appartient au passé, soupira Louis-Jos. À cette heure, le drapeau américain flotte sur le fort.

—Reste qu'on en a eu pour nos gages, en 1812, leur rappela Plumeau d'un ton enjoué.

—C'est vrai! renchérit Portelance. Vous avez servi tous les deux dans le Corps des voyageurs canadiens!

—Attention, monsieur! articula Plumeau avec un fort accent anglais. Vous voulez dire le *Corps of Canadian Voyageurs*!

Les hommes rirent de bon cœur.

—Il fallait voir Louis-Jos saluer les officiers anglais, enchaîna Plumeau de sa voix naturelle. Il se courbait jusqu'à terre, sa tuque à la main, pour ensuite s'informer de la santé de madame et des enfants.

—Et pourquoi pas? s'indigna Louis-Jos. Ça mange par en dessous du nez, un officier anglais!

—Là-bas, on le surnommait "monsieur le marquis", reprit Plumeau. À cause de son prénom, Louis-Joseph! Il se prenait pour Montcalm!

Louis-Jos releva le menton et prit un air arrogant.

—*In-su-bor-di-na-tion!* martela-t-il en prenant un accent anglais.

Je n'avais jamais vu Poupart rire aussi franchement.

—Ça aurait été encore mieux si on avait eu Boulette dans notre unité, ajouta Plumeau. Il aurait apporté une touche supplémentaire d'élégance!

—Moi, ça? J'aurais pris le bois avant même que les Anglais ne pensent à me mettre au pas!

Portelance but du rhum à même un barillet et s'essuya la bouche avec sa manche.

—À part Louis-Jos et Chipewyan, il n'y a personne d'autre qui veut monter dans les Pays d'en Haut avec moi? Copeau, une première, peut-être?

—Ah non! se rebiffa Lucien. Avec toutes les histoires que vous m'avez contées, je n'ai aucune envie d'aller dans le Nord-Ouest…

—Je vais y penser, marmotta Plumeau.

—Moi, je suis déjà pris pour trois ans au lac Mistassini, se désola Thierry. Avec ce maudit McIntosh!

Toute la brigade pouffa. McIntosh, qui était en train de discuter en anglais avec Shaw et Blackwood, se retourna.

—Comment, maudit McIntosh?

—Ça va être beau dans trois ans, ces deux-là, estima Aishpanu en secouant la tête.

Tshinisheu et Ush fumaient en silence aux côtés d'Aishpanu. Depuis le début du voyage, ils avaient changé. Plus nous nous enfoncions dans la forêt, plus ils semblaient dans leur élément. Grâce à leur habileté, nous avions pu manger du poisson à plusieurs reprises. Ils affectionnaient particulièrement Boulette et ne rataient jamais une occasion de le faire fâcher. On aurait dit qu'ils aimaient le voir ainsi. Il fallait bien admettre qu'une fois en colère, Boulette était haut en couleur. Tous les jurons y passaient et son corps s'animait en gesticulations loufoques. Ush et Tshinisheu riaient alors à ne plus pouvoir s'arrêter. J'aurais aimé parler leur langue pour les connaître davantage, surtout Tshinisheu, qui me paraissait être la bonté incarnée. Mais je sentais comme une barrière invisible entre nous. Ils étaient à la fois dans la brigade et en dehors de la brigade, obéissant à leurs propres lois.

Un peu à l'écart, non loin d'eux, le père Dandurand lisait son bréviaire à la lueur du feu. Il ne parlait à personne et me faisait pitié. Aishpanu se leva pour aller le voir. Il dut mettre la main sur le genou du prêtre pour attirer son attention.

— Encore trois nuits et nous serons au poste du lac Chamouchouane, lui apprit-il.

Puis il me regarda.

— Sur le territoire des Atshen, il faudra bien protéger mademoiselle.

Je sortis de mon mutisme.

—Les Atshen?

—Oui, les géants, poursuivit Boulette d'une voix mystérieuse, en sautant sur ses pieds.

Il prit un visage menaçant et avança à pas lents et mesurés vers moi, les mains en avant. Je me souvins que Connolly m'avait parlé de ces géants sauvages aux dents pointues, qui raffolaient de chair humaine.

Une voix étrangement calme se fit entendre. C'était celle du Calumet.

—Tu peux bien rire, Boulette. N'empêche que ce territoire a quelque chose de surnaturel.

Tout le monde s'était tu pour regarder le Calumet. À la lueur du feu, son visage prenait d'étranges reflets.

—Ce n'est pas une légende que je m'en vais vous conter, mais une histoire vraie. Vraie comme je suis là, devant vous. Ça s'est passé il y a bien longtemps. Du temps que le coin par ici s'appelait Saint-Nicolas-de-Chamouchouane. On raconte qu'un garçon était débarqué au port de Québec par un soir de juin. Ce n'était pas un Canadien. Non! C'était un Français, un vrai, du royaume de France, qui nous arrivait de Normandie. Il avait du cœur au ventre, le gaillard, et ça n'a pas été long qu'il a pris le bois, comme bien d'autres à cette époque. Les Sauvages des environs du Pekuakami l'ont tout de suite aimé. Ils lui ont appris à chasser, à se nourrir, à survivre. Un peu plus tard, quand il a commencé à se débrouiller tout seul, il s'est construit une cabane de bois et d'écorce pas loin d'ici, au bord d'une savane.

— C'est quoi, une savane ? demandai-je.

— Une savane, ma belle fille, c'est un trou d'eau qui se remplit de mousse. Ses profondeurs touchent le cœur de la Terre... Les arbres y meurent et les hommes s'y enfoncent.

Le Calumet prit le temps de savourer quelques bouffées de sa pipe avant de continuer son histoire.

— Toujours est-il que notre courageux garçon a passé l'hiver à trapper tranquillement dans les environs de sa cabane. Les jours ont défilé, puis les mois. Le gibier devenait de plus en plus rare... Est arrivé un temps où il n'y avait plus que le désespoir qui rôdait dans les parages. Une nuit de ce printemps-là, la faim l'a réveillé. Il s'est tourné et retourné dans son lit, incapable de se rendormir. Son estomac vide le faisait tellement souffrir qu'il a été obligé de se lever.

Le Calumet prit l'écuelle qui pendait à sa ceinture et la tendit à Thierry.

— Ramène-moi donc un peu de thé, mon gars, j'ai la gorge toute desséchée.

Pendant que Thierry allait lui chercher du thé, le Calumet poursuivit :

—La lune était pleine et brillait si fort qu'on y voyait comme en plein jour. L'idée est venue à notre pauvre garçon de se rendre aux abords de la savane pour y cueillir du thé du Labrador. Il savait qu'une infusion de cette plante-là pourrait calmer sa douleur. Il a fouillé en vain dans toutes les talles. Il a même cherché sous les langues de neige qui n'en finissaient plus de fondre… Rien. Il ne restait plus rien. Certaines années, la nature est bien cruelle. Il allait abandonner son idée lorsqu'enfin, il a trouvé ce qu'il cherchait. Sur les branches fines d'un arbrisseau pendaient encore quelques feuilles, séchées et plissées, qui avaient tenu bon tout l'hiver. Les mains tremblantes, il a commencé à les ramasser.

Tout le monde écoutait religieusement le récit du Calumet. Ce dernier but quelques gorgées de thé.

—Crac! s'écria-t-il subitement, faisant sursauter toute la compagnie. Un bruit sec a brisé le silence de la nuit. Notre homme a relevé la tête, inquiet… Et pour voir quoi? Une jeune et belle Sauvagesse qui dansait sous la lune! Elle était si agile et si légère qu'on aurait dit qu'elle flottait sur la savane. Il s'est frotté les yeux pour être sûr qu'il ne rêvait pas. Non, elle était bien là, en chair et en os. La preuve? Elle s'est avancée vers lui, délicatement chaussée de mocassins ornés de fleurs peintes. Ah! Elle était belle, la Sauvagesse! Avec ses longs cheveux noirs et ses jambes dévoilées… Son front reflétait les doux rayons blancs de la lune. Pur et lisse, il brillait comme un croissant d'argent. Le jeune homme en est tombé tout de suite amoureux et a décidé de l'appeler tendrement Pishimuss, Petite Lune, pour ceux qui ne savent pas ce que ça veut dire.

Le Calumet s'éclaircit la voix.

— Bon, bien je pense que je vais m'arrêter là pour ce soir, si ça ne vous dérange pas.

Tous protestèrent avec force cris. On lui offrit du rhum et une pipée de tabac. Il devait terminer son histoire.

— Vous me tordez le bras ! C'est pas correct ! En tout cas… Je continue, mais juste parce que vous m'y obligez… Pishimuss n'avait pas de famille. Et à la grande surprise de notre amoureux transi, elle a tout de suite accepté de l'épouser à la manière du pays[6]. Toutefois, elle lui a imposé une condition : celle de ne jamais prononcer le mot "malédiction". Le jeune homme a promis sur-le-champ et a emmené Pishimuss vivre avec lui dans sa cabane. À partir de ce jour-là, il n'a plus manqué de rien.

— Quoi ! Ça finit comme ça ? s'offusqua Lucien, désappointé.

— Bien sûr que non ! L'amour a porté bientôt ses fruits et Pishimuss a mis au monde un garçon au visage rond comme la lune. Il était fort et vigoureux,

---

6. Mariage selon le rite autochtone.

seulement… Il pleurait continuellement. Les cris de l'enfant sont vite devenus insupportables et le père, découragé, fuyait de plus en plus souvent la cabane. Pishimuss avait en elle la patience qu'ont les Sauvages pour les enfants. Elle prenait grand soin de son fils et faisait tout ce qui était en son pouvoir pour le consoler. Un soir d'été, alors qu'il rentrait d'être allé troquer ses fourrures au lac Chamouchouane, notre malheureux père a trouvé sa femme et son fils endormis. Ils lui ont paru si beaux, dans leur abandon, qu'il a regretté son comportement puis s'est promis intérieurement de ne plus fuir et de toujours rester avec eux, de toujours les protéger. C'était comme s'il voyait son fils pour la première fois et son cœur s'est rempli d'amour. Il a réveillé doucement Pishimuss pour lui montrer ce qu'il avait rapporté et lui raconter comment s'étaient déroulés les échanges. Il lui a aussi annoncé qu'un missionnaire était de passage pour quelques jours au lac Chamouchouane. Quand elle a appris ça, Pishimuss a supplié son mari de l'y emmener pour qu'ils puissent faire bénir leur union et baptiser leur fils.

Le Calumet secoua tristement la tête.

—Épuisé par son voyage, notre homme a refusé. Pishimuss pensait dans son cœur que si son fils pleurait toujours, c'était parce qu'il n'avait pas été consacré au Dieu des Blancs. Elle a bien essayé d'expliquer ses sentiments à son mari, mais lui, il s'est emporté. "Tudieu! Ma mie! Je reviens de ce lac! Nous n'allons pas repartir ce soir! Ne vois-tu pas que je suis mort de fatigue? Nous le ferons baptiser l'an prochain!" Il avait levé le ton, et le bébé s'est réveillé. Pishimuss l'a tout de suite mis contre son sein, pour qu'il ne pleure pas. Mais le bébé hurlait déjà de toutes ses forces! "Malédiction!" a alors crié le père en se laissant choir sur une souche, la tête entre les mains. L'enfant a immédiatement cessé de pleurer. Ébranlé, le jeune homme a relevé la tête. Pishimuss avait les yeux ternes, sans étincelles, comme si elle était morte. Elle s'est pourtant levée, son fils serré tout contre sa poitrine. Elle est sortie et s'est mise en marche vers la savane. Désemparé, le père la suivait en l'exhortant à revenir. Elle n'obéissait pas. Lorsqu'il l'a attrapée par les épaules, il est devenu tout blême. Sa douce était froide. Il a voulu la retenir par les jambes, mais rien ne pouvait arrêter sa marche. Elle était mue par une force extraordinaire. Arrivée au bord d'une petite mare, elle s'est tournée face à son mari, qui exprimait mille regrets en lui tendant les bras. Elle s'est laissée tomber sur le dos, raide comme une barre, dans l'eau glacée, son fils dans ses bras. Son mari s'est précipité sur elle pour l'empêcher de s'enfoncer, en vain. Elle a coulé au fond, comme une pierre, les yeux ouverts.

—C'est quoi, cette histoire-là? l'interrompit Boulette. Comment ça se fait que tu ne nous l'as jamais contée?

—C'est parce que tantôt, pendant qu'on montait le campement, j'ai entendu les pleurs du bébé de Pishimuss, expliqua le Calumet. Et ça m'a rappelé cette histoire, qu'on m'a racontée quand j'étais un tout jeune voyageur. Parce que c'est pas fini...

Il se rapprocha encore plus du groupe et prit un air mystérieux.

—Ça arrive souvent qu'on entende les pleurs d'un bébé, par ici. Par exemple, ce qui est plus rare, c'est de voir la cabane. C'est arrivé une fois à Valiquette. Astheure, il a pris sa retraite, seulement si vous le rencontrez, vous lui demanderez. Vous allez voir que c'est vrai, ce que je raconte. Un soir, lui, il l'a vue, la cabane. Il a commencé par entendre un bébé pleurer. Après, il a remarqué une petite lueur dans le bois. La lumière, pâlotte, venait de la fenêtre d'une cabane. Il a frappé à la porte. Puisque personne n'est venu répondre, il est entré pour voir s'il ne pouvait pas venir en aide à l'enfant. Je vous jure qu'il l'a longtemps regretté.

—Regretté quoi? s'impatienta Lucien.

—Dans la cabane, Valiquette a vu une belle Sauvagesse. Elle était assise sur le sol, devant un feu mourant, et tenait dans ses bras un bébé qui pleurait. Pas un meuble, pas une chandelle, rien! Valiquette a tenté de lui parler, mais les yeux de la Sauvagesse étaient morts. Il a remarqué que ses longs cheveux noirs et ses vêtements étaient mouillés. De l'eau dégoulinait sur son front, pur et lisse comme un croissant de lune. Il a essayé de raviver le feu, pour que la Sauvagesse puisse se réchauffer, avec son bébé, sauf que ce n'était pas un feu ordinaire. C'était un feu qui ne brûlait pas. Quand il s'est retourné vers la Sauvagesse, il a constaté que malgré toutes les gouttes d'eau qui tombaient, le plancher était sec. C'était assez pour lui! Il a décampé sans demander son reste! Je ne sais pas si vous êtes de mon avis, mais moi, je pense que la Sauvagesse qu'il a rencontrée dans la cabane, c'était Pishimuss. Elle doit sortir de l'étang de la savane de temps en temps pour se réchauffer avec son bébé. D'ailleurs, il n'y a pas juste Valiquette qui a vu la cabane... même si c'est pas arrivé depuis plusieurs années. Quant à moi, j'aime autant pas la voir. Déjà, d'entendre le bébé, ça me suffit.

—Et son mari, à Pishimuss, qu'est-ce qui lui est arrivé? demanda Thierry.

—Il s'est pendu dans le bois.

—Des histoires de même, ça fait pas plaisir à entendre, bougonna Boulette. Tu aurais dû la garder pour toi, celle-là.

—Excusez-la, conclut le Calumet en souriant malicieusement.

Chapitre 11

À droite du coude

Le lendemain, dès que la brume se fut légèrement dissipée, nous entreprîmes la remontée de la rivière Chigoubiche[1]. Un léger brouillard enveloppait le paysage d'un halo de mystère. Tout était gris, mis à part les lambeaux de mousse d'un vert très pâle qui pendaient aux branches inférieures des arbres. J'avais passé la nuit à tendre l'oreille, effrayée à l'idée de percevoir les pleurs d'un bébé. Mon écoute attentive avait été récompensée par le hululement des hiboux et le hurlement lointain d'une meute de loups, ce qui ne m'avait guère rassurée. À présent, j'avais peur d'apercevoir une cabane au détour d'un méandre.

---

1. Le cours de la rivière Ashuapmushuan fait un long coude vers le nord avant de redescendre vers le sud. Pour éviter cette rallonge en remontant la rivière, les voyageurs empruntaient la rivière Chigoubiche, puis le lac Chigoubiche, avant de rejoindre le lac Ashuapmushuan par un portage.

Sur l'étroite rivière truffée de chutes et de cascades, les portages se succédèrent à un rythme jamais égalé depuis le début du voyage. Souvent, les hommes devaient traîner les canots en marchant dans l'eau, se blessant les pieds sur le fond rocailleux. Lors d'un portage particulièrement mauvais, je tombai à deux reprises en gravissant une pente abrupte tapissée de mousse glissante. Aishpanu m'aida à me rendre au sommet. J'avais honte de ma faiblesse. J'étais à bout de forces et je ne pouvais plus le cacher.

Sur l'autre versant de cette côte nous attendait une triste et longue savane. En son centre, quelques chicots sinistres tendaient vers nous leurs branches décharnées. À chacun de mes pas, mes pieds s'enfonçaient dans la mousse humide. D'abord jusqu'à mi-chevilles, puis jusqu'à mi-mollets. Mes jupes trempées pesaient de plus en plus lourd. Je m'arrêtai pour observer comment s'y prenaient les hommes. Ils portaient les canots deux par deux, cette fois. Pliés sous le poids de leurs embarcations, ils avançaient lentement, en faisant de grands pas. Chaque soulèvement de jambe devait leur demander un effort considérable puisque j'entendis en l'espace de quelques minutes tous les jurons imaginables. Je soulevai ma robe et repris ma marche. Je sentis une douleur cuisante irradier dans les muscles de mes cuisses. Un peu plus tard, mes jambes se dérobèrent sous mon poids et je m'affalai dans des arbrisseaux en fleurs. Une myriade de fleurettes d'un rose éclatant se balançaient à la tête de chaque plant. On aurait dit les ombrelles d'une foule d'élégantes. Tshinisheu vint m'aider à me relever, laissant Aishpanu portager seul le canot.

— *Pashiku ishkuess*[2] !

Je ne compris rien, quoique son sourire m'encourageât. Il me donna la main et m'aida tant bien que mal à rejoindre la rivière. Les hommes me laissèrent avec le père Dandurand et les canots et repartirent chercher les marchandises. Je me laissai choir sur le bois pourri d'un tronc couché. Découragée, je luttais contre mes larmes en regardant la rivière s'écouler paisiblement en amont avant de s'engouffrer dans une cascade. Comment mon père pouvait-il se plaire en ces lieux maudits ? Une cuvette d'eau stagnante s'était formée entre quelques rochers. De curieux insectes aux longues pattes fines glissaient sur la surface de cette eau corrompue. Leurs mouvements rapides et désordonnés suscitèrent mon intérêt et chassèrent mes idées noires. Malheureusement, cette amélioration de mon humeur fut de courte durée. J'entendis dans ma tête résonner les paroles prononcées par Boulette lors de notre première rencontre à l'auberge du Vieux Pont : « Ça fera un joli

---

2. Relevez-vous, jeune fille !

tableau, quand vous serez calée jusqu'aux genoux dans une savane, avec votre robe de gala. »

— Mademoiselle ?

Je relevai la tête. Comme si, en pensant à lui, j'avais appelé sa présence, Boulette se tenait devant moi. Il laissa tomber à mes pieds les ballots qu'il venait de transporter. Son front était rougi par la pression qu'avait exercée à cet endroit sa courroie de portage.

— C'est le sentier le plus difficile. On l'appelle Matshi-kapatakan. Ça veut dire "le mauvais portage". C'est celui où on s'enfonce. Ça va aller mieux pour les prochains.

Avait-il lu dans mes pensées ? Voulait-il se faire pardonner d'avoir été dur avec moi dans le passé ? Le nom du portage me rappela le prénom de la femme de Michaud, Matshishkueu, qui avait été si gentille avec moi, à Tadoussac.

— Je l'espère, soupirai-je.

Connolly avait eu raison, lors de notre entretien du 19 juin. J'étais maintenant un poids pour les voyageurs. Le soir, je fis sécher ma robe sale et déchirée avec les mitasses des hommes. Je ne tentai même pas de me cacher en enfilant mon autre robe sur ma chemise. En regardant Ush calfater les canots avec un mélange de graisse et de gomme d'épinette, je ne cessais de me répéter : « Deux nuits, plus que deux nuits et je serai auprès de mon père. »

Le matin du lendemain annonçait une journée ensoleillée, bien que l'atmosphère fût toujours aussi glaciale. Au contact de l'air, ma respiration se transformait en une vapeur blanche qui disparaissait aussitôt, emportée par le vent du nord. À peine m'étais-je éloignée du feu que je commençai à grelotter. Pendant que les hommes mettaient les canots à l'eau, j'observai les alentours. Nous étions encerclés par des milliers d'épinettes étroitement cordées. Il me paraissait impossible de pénétrer dans une forêt si dense. Portelance engagea Lucien à s'installer à l'arrière du canot:

—Prends ma place, Copeau. Il faut que tu t'exerces à diriger.

Lucien ne se fit pas prier pour occuper la position de gouvernail. Il sauta dans le canot, le sourire aux lèvres. L'une à la suite de l'autre, les embarcations glissèrent sur les eaux, calmes pour peu de temps encore.

La remontée de la Chigoubiche était pour le moins pénible. Portelance donnait continuellement des conseils à Lucien, tantôt sur le coup d'aviron à utiliser, tantôt sur l'alignement à donner au canot dans le fil du courant. Vers la fin de l'après-midi, Aishpanu enjoignit aux voyageurs d'accélérer la cadence.

—Nous serons à l'entrée du lac Chigoubiche avant ce soir, annonça-t-il, content.

Après avoir longé deux îles boisées, nous arrivâmes à un étranglement bordé d'aulnes tellement envahissants qu'ils obstruaient en grande partie le passage des canots. Aishpanu dut nous frayer un chemin à coups de hache. Par la suite, la rivière bifurquait brusquement vers la droite. Le courant, très fort à cet endroit, obligea les voyageurs à redoubler d'ardeur. Comme nous allions prendre le virage, Portelance se mit à crier :

— À droite du coude ! À droite ! Bon sang de bon Dieu !

Je ne comprenais pas son brusque changement d'attitude. Rien ne me semblait dangereux aux alentours. Tout se passa au ralenti. Une fois dans le virage, le nez du canot prit le courant du mauvais côté et l'embarcation fut drossée durement dans les aulnes, qui, à cet endroit, avaient colonisé les abords de la rivière et débordaient largement au-dessus des eaux. À l'avant, Portelance tenta par tous les moyens de nous éloigner de la rive. Mais il eut beau se démener comme un diable avec son aviron, rien n'empêcha le canot d'entrer sous le branchage.

— Sautez ! ordonna-t-il.

Trop tard ! Le canot tourna à l'envers et nous nous retrouvâmes dans l'eau glacée, avec tout le chargement. J'éprouvai dans tout mon corps une vive douleur. Il m'était impossible de penser. Seul l'instinct de survie commandait mes mouvements.

Je me relevai et tentai d'attraper la main que me tendait Portelance pendant que Lucien, agrippé à une branche, retenait de sa main libre le canot submergé. L'eau arrivait à la hauteur de ma poitrine. Le courant était si fort que je ne pus qu'effleurer les doigts de Portelance. Incapable de lutter davantage, je fus emportée vers l'aval et la noyade. Boulette et le Calumet, qui nous suivaient, essayèrent d'agripper mes vêtements, sauf que leur canot était trop éloigné. Finalement, c'est Michaud qui réussit à accrocher le capuchon de ma cape avec son aviron. Ush et lui me tirèrent jusqu'à la rive la plus proche pour me hisser à bord de leur embarcation. Ils prirent ensuite le virage sans encombre et me débarquèrent sur une petite plage où Aishpanu, soucieux, nous attendait avec le reste de la brigade.

Autour de moi, j'eus l'impression que tout se déroulait au ralenti. McIntosh me prit dans ses bras. Il criait, mais sa voix semblait venir de très loin.

— Réchauffez-la ! Vite !

Je vis Lucien et Portelance, sains et saufs, en train de se déshabiller. Près d'eux, Thierry s'affairait à allumer un feu. McIntosh me déposa maladroitement par terre. Tout mon corps était secoué de violents tremblements. Aishpanu se pencha sur moi et mit ses mains de chaque côté de mon visage. Mes dents claquaient si fort que j'avais peur qu'elles ne se brisent.

—Apportez-moi des couvertures, demanda-t-il calmement.

Il retira son capot et sa chemise. Puis il s'assit par terre, me prit sous les aisselles et m'attira contre lui. McIntosh nous recouvrit avec des couvertures. À demi assise, appuyée sur la poitrine d'Aishpanu, j'observais comme dans un rêve les activités des hommes de la brigade.

Portelance, Lucien, Plumeau et Louis-Jos se tenaient tous les quatre sous une couverture, près du feu. Les vêtements de mes deux compagnons avaient déjà été mis à sécher. Thierry faisait bouillir de l'eau pour préparer du thé. Le Calumet, Poupart, Chipewyan et Michaud s'apprêtaient à retourner sur les lieux où nous avions chaviré pour voir s'ils ne pourraient pas récupérer avec des perches les marchandises qui s'étaient détachées du canot au moment de la catastrophe.

Le vent froid qui soufflait sans discontinuer m'empêchait de ressentir la moindre chaleur.

—Il fait trop froid, constata Aishpanu. Elle ne se réchauffe pas. Comment ça va, pour Portelance et Copeau?

—On s'en sort, répondit Portelance. Louis-Jos et Plumeau vont nous passer du linge sec.

Aishpanu leva la tête vers McIntosh.

—On n'a pas d'autres choix que de la déshabiller. Prends une couverture à cinq points et étends-la juste ici, près du feu.

Aishpanu me reposa sur le sol. Il tenta fébrilement d'enlever mes vêtements mouillés puis, perdant patience, il dégaina le couteau qu'il portait à son cou pour ouvrir sans ménagement tout le devant de ma robe, corset et chemise y compris. Je voulus réagir, mais en fus incapable. Il me transféra sur l'épaisse couverture de laine. Sur un signe d'Aishpanu, Tshinisheu se dévêtit et vint couvrir mon corps du sien. Personne ne pensa à nous taquiner.

Le guide nous enveloppa complètement de la couverture de laine et se rhabilla. Mon corps ne cessait de trembler. On appela le père Dandurand à la rescousse, pour ses connaissances en médecine. Il demanda une chandelle. Lorsqu'il l'approcha de mes yeux, Boulette s'inquiéta.

—Attention, mon père! Vous allez lui mettre de la cire brûlante dans l'œil!

Le père Dandurand glissa sa main sous la couverture pour toucher ma peau. Il avait l'air préoccupé.

—Elle est glacée. Pouvons-nous la mettre à l'abri du vent?

—Je voudrais bien, répondit Aishpanu, mais regardez autour de vous.

— Elle est en danger de mort. Il faut absolument la mettre à l'abri. Couvrez-lui la tête.

Aishpanu arracha à Boulette son bonnet rouge. Avec précaution, il le mit sur ma tête. Je n'avais qu'une envie, dormir.

— Mademoiselle! Vous m'entendez?

Sa voix était douce.

— Oui, balbutiai-je.

— Comment vous sentez-vous?

— Je n'ai plus froid.

— Ce n'est qu'une impression. Il faut vous mettre à l'abri. Vous allez partir avec Boulette et Tshinisheu en canot lège. Ils vous porteront rapidement au poste du lac Chamouchouane. Nous ne sommes plus très loin.

Aishpanu se releva pour donner ses instructions aux deux voyageurs de confiance qu'il avait choisis. Tshinisheu était toujours contre moi, pour me transmettre la chaleur de son corps.

— Le ciel est dégagé, la nuit sera claire. Avironnez sans vous arrêter. De toute façon, Tshinisheu, c'est ton coin de pays. Je sais qu'à partir d'ici, tu te rendrais au poste les yeux fermés.

— Habillez-la et protégez-la bien de plusieurs couvertures… Et faites attention de ne pas trop la bouger, recommanda le père Dandurand.

— Elle va mourir…, souffla Thierry.

Aishpanu fit comme s'il n'avait rien entendu.

—Faites-nous donc une barrière contre le vent, au lieu de rester là comme des emplâtres!

On me revêtit d'une paire de mitasses et d'une chemise appartenant à Boulette. Puis l'on me roula dans une, puis deux couvertures. Aishpanu lui-même me déposa dans le canot.

—Adieu, mademoiselle!

Je m'endormis presque instantanément, pour ne me réveiller que lorsque Boulette me porta du lac Chigoubiche jusqu'au lac Chamouchouane. Il me transportait comme un ballot. Je sentais dans mon corps chacun de ses pas et entendais chacune de ses respirations.

—Sang de Christ! répétait-il, alors qu'il me hissait au sommet d'une pente raide.

Par la suite, je perdis toute notion du temps. Il faisait jour quand j'entendis des exclamations et des cris.

—Flavie, vite! C'est la fille de Montizambert! Elle est tombée dans l'eau!

—Quoi? Qui, tu dis?

—La fille de Montizambert. Mettez des pierres à chauffer!

—Elle est glacée?

—Non, elle est brûlante!

J'ouvris les yeux. Au-dessus de moi était penché Jean-Baptiste, avec sa barbe noire.

Chapitre 12

La femme de Picote

—Y en a plein le bois, des feuilles de thé du Labrador! Arrête de m'en apporter! J'en ai assez pour faire des tisanes jusqu'à l'année prochaine!

Une femme à la voix claire venait d'exprimer ainsi son exaspération.

—Mais… Les Mistassins disent que c'est mieux d'utiliser des feuilles fraîches, lui répondit un homme, d'une voix grave et incertaine.

—Ce n'est pas toi qui vas venir m'en montrer sur la guérison par les plantes! Je sais ce qu'il faut faire et ne pas faire!

—Sans doute, mais avec la plante entière, tu pourrais…

—Veux-tu bien me laisser soigner ma malade à mon goût?

En guise de réponse, l'homme poussa un profond soupir. J'entrouvris les yeux juste à temps pour voir ses deux larges épaules se découper dans l'encadrement de la porte. Il disparut sans rien ajouter, cédant sa place à un autre homme, grand et cagneux. Ce dernier enleva son chapeau orné d'une plume blanche et l'accrocha au mur. Je refermai les yeux immédiatement.

—Il en fait une tête, le Noré, commenta le nouveau venu. Tu l'as envoyé se chercher une femme ailleurs?

—Il m'énerve, à tout le temps traîner dans le coin! C'est décourageant de voir l'effet qu'une simple chemise à dentelle peut avoir sur un homme…

—Qu'est-ce que tu veux? On ne voit pas ça souvent par ici, des belles chemises de même. Ça t'irait bien, à toi aussi…

Un silence pesant s'installa.

—Lâche-moi donc! Elle pourrait se réveiller n'importe quand!

Des pas s'approchèrent de moi.

—Comment est-ce qu'il va, notre oiseau rare?

—Elle ne s'est pas encore réveillée. La fièvre est tombée, finalement. Je pense que le pire est passé. Reste juste son père, qui ne revient pas…

—Il va revenir! Moi, je ne l'attends pas avant la semaine prochaine!

—La semaine prochaine? Ce n'est pas ce que dit sa femme, en tout cas.

—Les femmes, vous êtes toutes pareilles! Toujours en train de calculer les jours et de raccourcir les semaines! Pas moyen de partir tranquilles!

—En attendant, qu'est-ce que je fais de ces messieurs Shaw et Blackwood? Ils n'ont pas l'air de savoir grand-chose de la vie des bois... Je les ai installés dans la maison des engagés. Tu devrais aller leur parler et en profiter pour t'exercer à l'anglais!

—Donne-moi donc du thé au lieu de penser à ce que je devrais faire!

J'entendis la femme servir une tasse de thé à celui que je devinais être son mari.

—Tiens! Fais attention, il est chaud! Alors, la brigade est repartie, en fin de compte?

—Oui, ce matin à l'aube. Il devait être trois heures. Ils vont monter par la rivière du Chef. Aishpanu a beaucoup hésité. Le pauvre... Il aurait aimé parler à Montizambert pour lui expliquer l'accident. Je l'ai rarement vu aussi mal à l'aise.

—Ça se comprend... C'était quoi, aussi, l'idée de laisser Copeau diriger un canot! Elle aurait pu y rester, la fille de Montizambert!

—Dis pas de mal de Lucien Campeau! ordonna le mari sur un ton sans réplique. Je n'ai jamais vu un homme faire aussi pitié! Si elle meurt, il ne s'en remettra jamais!

—Je ne dis rien de mal, je dis juste qu'il ne sait pas diriger un canot. Se laisser drosser dans les aulnes en prenant un coude… Vraiment! Ma commande de Tadoussac est tombée à l'eau! Des beaux fils de soie laissés aux truites…

—Des fils de soie? Tu perds la tête, ma femme!

—D'abord, je fais ce que je veux avec le fruit de mon piégeage! C'était notre entente!

—Encore heureux que tu ne fasses pas ces folies-là avec mon argent. Parce qu'on aurait une petite discussion…

—On peut l'avoir tout de suite, ta petite discussion.

Le climat s'envenimait. J'allais ouvrir les yeux à nouveau lorsque l'homme reprit la parole en changeant de sujet.

—En tout cas… Ils sont partis. Il a fallu que je dise trois fois à Aishpanu que la fille de Montizambert s'en sortirait. Trois fois pour qu'il s'en aille! De toute façon, je ne vois pas ce qu'il aurait pu servir à Connolly pour justifier un arrêt d'une journée au poste. Ils sont déjà en retard. Ils ont toujours bien pu faire sécher leurs affaires comme il faut…

—Ils n'ont pas été chanceux, soupira la femme. Pour que Boulette ait trouvé la montée difficile… Il paraît qu'il a plu la moitié du temps.

—Ce que dit Boulette, c'est à prendre avec un grain de sel. Quand je pense que Connolly a eu le front de me l'envoyer comme engagé pour deux ans en remplacement de Claude. Veux-tu bien me dire pourquoi c'te maudit Boulette-là n'est pas parti hiverner dans les Pays d'en Haut?

— Ah! Que tu ne comprends pas vite! Il est venu ici pour se marier!

— Qui t'a dit ça?

— Mon petit doigt!

— Avec qui il veut se marier? Pas avec la fille du chef, quand même?

— Il ne sait pas encore avec qui, sauf qu'en deux ans au même endroit, il aura bien le temps de trouver. Après son contrat ici, il pourra aller s'installer où il veut. Boulette ne retournera jamais dans la vallée du Saint-Laurent.

— Il pourrait se faire cultivateur!

La femme éclata de rire.

— Boulette, cultivateur? Voyons donc! Tu divagues!

— Au moins, il serait son propre patron! Il ne supporte pas la hiérarchie! C'est bien mon calvaire! En tout cas... Faudra faire avec. Claude et Vincent étaient bien contents de s'en retourner, eux autres. Ça m'a fait un petit pincement au cœur, hier, quand ils sont partis... Après deux ans à se démener ensemble dans les parages...

— Qui remplace Vincent?

— Tshinisheu.

— Tshinisheu? C'est sa mère qui va être heureuse. Elle ne le dit pas, mais je pense qu'elle s'ennuie...

—Bon ! C'est bien beau tout ça, seulement j'ai d'autres choses à faire que de m'apitoyer sur les Sauvages.

Sur ce, j'entendis l'homme cracher et sortir en refermant la porte sans ménagement. Sa femme continua de parler, même si elle était seule.

—Que je l'haïs, que je l'haïs donc !

J'attendis un peu avant d'ouvrir les yeux pour de bon et d'observer les alentours. Je vis d'abord les poutres en bois du plafond. Sur ma gauche, au centre de la pièce, trônait une cheminée en pierre. Sur son manteau étaient exposées quelques jolies pièces de faïence. À ma droite, une grande table en bois équarri était entourée de toutes sortes de sièges : des chaises tressées en babiche, des bancs, des bûches. Le long des murs couraient des étagères où s'entassait une variété impressionnante d'objets hétéroclites. La toile cirée y côtoyait le linge de maison et les assiettes voisinaient de longs clous rouillés. Dans un coin de la pièce, à gauche de la cheminée, une échelle reposait contre l'ouverture d'une trappe qui menait à l'étage. Dans ce même coin pendaient du plafond plusieurs ceintures à flèches à moitié terminées. Des centaines de fils enchevêtrés balayaient le sol au rythme du vent qui pénétrait par la fenêtre ouverte.

Une femme me tournait le dos. Les manches de sa chemise étaient retroussées jusqu'au-dessus des coudes. Elle avait noué un tablier sur sa jupe noire assez courte pour laisser voir le bas de ses jambes et ses mocassins. Si ses cheveux tressés n'avaient pas été blonds, je l'aurais prise pour une Sauvagesse. Debout devant la table, elle s'affairait à dépecer des volatiles avec un grand couteau. Je m'assis dans mon lit de branchages placé devant la cheminée. Mes mouvements n'échappèrent pas à la femme, qui se retourna immédiatement.

—Vous êtes réveillée, mademoiselle ? Enfin !

Elle accourut à mon chevet.

—Vous nous avez fait une de ces peurs ! Comment vous sentez-vous ?

Je ne savais quoi répondre. J'étais trop mal en point, complètement étourdie par la maladie et par ce que je venais d'entendre. Mon père s'était donc remarié ? Où était-il parti ?

—Où est mon père ? demandai-je.

—Il est parti sur la hauteur des terres.

J'avais du mal à réfléchir. N'étais-je pas déjà sur la hauteur des terres ? La femme s'accroupit près de moi. Sa physionomie me surprit. Le ton qu'elle avait utilisé pour converser avec son mari, quelques instants auparavant, m'avait laissé imaginer un visage fermé et des traits durs. Au contraire, ses yeux étaient grands et clairs et son sourire, sincère et généreux. Je lui donnai environ 25 ans, l'âge de Gaby. D'un mouvement de tête, elle m'invita à lui expliquer ce qui n'allait pas.

—Je… Où suis-je?

—Au poste du lac Chamouchouane. Je suis Flavie Picote, la femme du commis. Vous n'avez pas repris connaissance depuis votre arrivée, hier matin. Et encore, la fièvre vous faisait délirer! Nous ne comprenions rien à ce que vous racontiez! Saint Jean-Baptiste par-ci, le roi Richard par-là…

—Mon père n'est pas ici?

Elle fronça les sourcils et je réalisai que je lui avais déjà posé cette question.

—Non, il est allé poursuivre ses travaux sur la hauteur des terres. Il devrait revenir d'ici quelques jours… Avez-vous mal quelque part?

—J'ai mal partout.

Elle se leva, prit une tasse sur l'une des étagères et me versa du thé qu'elle prit soin de bien sucrer. Je suivis du regard chacun de ses gestes. Elle était mince, presque maigre. Sa peau hâlée contrastait avec la pâleur de ses cheveux. Son caractère nerveux et énergique se répercutait jusque dans la façon dont elle brassait avec une cuillère le thé qu'elle me préparait.

—Tenez, buvez! Ça vous fera du bien! C'est du thé du Labrador.

Je la remerciai avant de humer les vapeurs qui s'échappaient de ma tasse. Leur parfum me rappela l'odeur enivrante de la forêt des abords de la rivière Chigoubiche. Sapin? Baies de genévrier? Le goût était unique et ne ressemblait à rien de ce que je connaissais.

—Le poste du lac Chamouchouane n'est-il pas situé sur la hauteur des terres?

—Pas exactement... La ligne de partage des eaux ne passe pas très loin d'ici! Si je savais précisément où votre père est allé, j'enverrais Noré le chercher... Je suis sûre qu'il irait... Malheureusement, on ne le sait pas. Mais votre père va revenir! Il vous a tellement demandée, l'hiver dernier, lorsqu'il était malade. Ah! Il sera bien content de vous voir! Bien content!

J'éclatai en sanglots.

—Calmez-vous... calmez-vous donc, mademoiselle. Ça ne donne rien de pleurer.

Que s'était-il passé? J'entendais encore Aishpanu me faire ses adieux, la respiration de Boulette, alors qu'il peinait à me porter sur une pente abrupte... Et tous ces affreux cauchemars avec Jean-Baptiste, penché sur moi...

—Mademoiselle?

Toujours accroupie près de moi, Flavie me secouait doucement.

—À quoi pensez-vous?

—Quel jour sommes-nous? Que s'est-il passé? demandai-je entre deux sanglots.

—Le 11 juillet. Boulette et Tshinisheu sont arrivés ici avec vous hier au petit matin. Boulette criait comme un fou pour avoir de l'aide. Il disait que vous étiez en train de mourir de froid. Pour tout dire, je pense que vous aviez plutôt une forte fièvre. On ne savait plus si on devait vous réchauffer ou vous rafraîchir. Tout le monde donnait son avis et personne ne s'entendait sur ce qu'il fallait faire. C'est Noré qui a tranché. Il vous a installée ici, près de l'âtre, et vous a fait boire le plus possible. Vous ne vous en souvenez pas?

—Non...

—Vous déliriez complètement... C'était à n'y rien comprendre! Aishpanu est débarqué en soirée avec ses hommes. Copeau et lui sont restés à votre chevet toute la nuit, sans fermer l'œil. On pensait que vous alliez trépasser. Le père Dandurand vous a même donné l'extrême-onction! Et tous les hommes de la brigade ont prié pour vous! Il fallait qu'ils vous aiment, mademoiselle, parce que je peux vous dire qu'il y en a là-dedans qui ne s'adressent pas souvent au Tout-Puissant.

Elle essayait de me faire rire, mais mes sanglots redoublèrent. Elle poursuivit:

—Portelance venait prendre des nouvelles aux quarts d'heure. Aishpanu était tellement inquiet qu'il a même pensé retarder le départ de la brigade. Ils se sont finalement mis en route à contrecœur, au lever du soleil. Il ne reste ici que Boulette et Tshinisheu, nos nouveaux engagés.

Je n'avais pu dire au revoir à aucun des hommes de la brigade. Et Michaud, qui m'avait sauvé la vie… Aurais-je un jour l'occasion de le remercier?

— Lucien et Portelance allaient bien, alors? Eux aussi ont chaviré…

— Ils n'en menaient pas large. Ils se faisaient bien du souci pour vous…

— Étaient-ils en bonne santé?

— Oh! Pour ça, oui! Vous savez, ils en ont vu d'autres. Ils savent quoi faire en pareille occasion.

— Je veux voir Boulette et Tshinisheu.

— Je vais aller les chercher. Ils ne doivent pas être bien loin. Avant, laissez-moi vous aider à vous recoucher.

Je m'aperçus avec surprise que mon sac de voyage avait été placé au pied du lit. Il avait sans doute été récupéré dans la rivière.

— Mes lettres! m'exclamai-je.

Perspicace, Flavie comprit tout de suite.

— Je ne sais si elles sont encore lisibles, me répondit-elle en sortant un mouchoir propre de mon bagage.

Elle me le tendit pour que j'essuie mes joues baignées de larmes.

— Je les ai mises à sécher avec le reste, sans oser déplier le papier…

Tout mon linge avait été soigneusement lavé. Je pris alors conscience que je portais une chemise immaculée et qu'on avait fait ma toilette. Flavie tapota le sac de farine qu'elle avait bourré de je ne sais quelle matière pour me faire un oreiller. En reposant ma tête sur ce coussin improvisé, je tentai d'exprimer à Flavie toute ma gratitude.

— Je ne sais comment vous remercier…

— Laissez cela… Je vais aller chercher Boulette et Tshinisheu ! Et j'en connais un autre qui sera content de voir que vous êtes réveillée.

Elle sortit. Quel fardeau j'avais dû être pour cette femme ! Et pour Boulette, et pour Aishpanu, et pour tant d'autres personnes… Des larmes continuaient de couler sur mes joues malgré moi.

La porte se rouvrit presque immédiatement sur Boulette. En le voyant s'approcher de moi, l'air un peu goguenard dans sa chemise à motifs imprimés, avec ses cheveux fraîchement lavés et sa barbe en moins, mon cœur fondit. Je dus faire un effort pour ne pas lui sauter au cou. Il n'eut pas la même retenue. Fonçant sur moi, il m'entoura de ses bras puissants et me serra très, très fort. Cette démonstration de tendresse me bouleversa encore davantage.

— Ne pleurez pas, mademoiselle ! Voyons ! Arrêtez !

Debout à côté de lui, Tshinisheu, plus réservé, ne savait trop comment manifester sa joie. Il me décocha cependant un sourire qui disait tout. Boulette tenta de se détacher de moi, mais je restai bien accrochée, resserrant mon étreinte.

—Merci, merci de m'avoir portée jusqu'ici, lui murmurai-je à l'oreille.

Je levai les yeux et tout mon être se figea. Devant moi se tenait un troisième homme, celui qui avait hanté mon sommeil fiévreux. Une barbe noire pareille à celle de Jean-Baptiste couvrait ses joues. J'eus un mouvement de recul. Boulette se retourna pour comprendre ce qui arrivait. En constatant que seul le nouveau venu pouvait être en cause, il parut surpris de ma réaction.

—Vous connaissez Noré?

Complètement absorbée par la barbe du dénommé Noré, que je dévisageais outrageusement, je ne répondis rien.

—Moi, je connais bien mademoiselle Angélie, répondit ce dernier.

Je me raidis. Comment pouvait-il me connaître? Il arborait un grand sourire et je n'arrivais pas à m'expliquer pourquoi. Barbe noire, yeux rieurs, haute taille… Là s'arrêtaient pourtant les points de comparaison avec Jean-Baptiste. Noré était athlétique. De longues mèches de cheveux noirs s'échappaient du foulard rouge qu'il portait sur sa tête. Sa chemise, en fine toile de lin, était assez courte pour laisser voir la bordure ouvragée de son brayet de laine bleue. Personne ne pouvait manquer sa magnifique ceinture à flèches. Il la portait un peu plus bas sur les reins que les autres hommes. Les franges, admirablement travaillées, touchaient presque le sol. Leurs couleurs vives contrastaient avec le bistre jaune de ses mitasses en peau.

Voyant que je ne disais rien, il poursuivit sur un ton moqueur:

—Oui, je vous connais bien... Je sais, par exemple, que vous aimez boire un chocolat dès votre réveil, que vous êtes portée sur les sucreries, que vous préférez le lin au coton et que vous êtes très sensible au parfum des fleurs d'églantier. Ai-je raison?

Je me sentis devenir livide. Qui était cet homme? Pour me parler, il utilisait les mêmes procédés que Jean-Baptiste: devinettes, sournoiseries et dissimulations. De qui tenait-il des détails si intimes sur ma personne?

—Par contre, je ne savais pas que votre dévotion pour Jean le Baptiste était si grande, continua-t-il sur le même ton.

De vieux démons refirent surface. Je paniquai, impuissante devant cette apparition inattendue. Ici, dans les profondeurs de la forêt, un homme barbu m'inspirait la même peur au ventre que Jean-Baptiste. Devant ma mine horrifiée, il perdit son sourire. Ses yeux bleu-gris s'attristèrent. Ce regard lumineux, rempli de compassion, n'appartenait certes pas à Jean-Baptiste.

—Enfin, qu'avez-vous? dit-il.

Quand il esquissa un mouvement vers moi, je me reculai vivement, comme s'il avait été un monstre. Complètement dérouté par mon attitude, il écarta légèrement ses bras, mains ouvertes, paumes devant, comme pour me montrer qu'il était totalement désarmé. Il recula lentement de quelques pas, en maintenant cette position.

—Retournez donc réparer vos filets, intervint Flavie. On va laisser mademoiselle se reposer.

Boulette et Tshinisheu s'en allèrent immédiatement, laissant Noré derrière. Ce dernier se rendait bien compte qu'il avait commis une bévue. Sur le pas de la porte, le visage tourmenté, il hésitait à sortir.

—Sors! Tu laisses rentrer les mouches! s'impatienta Flavie.

—C'est juste que...

—Va-t'en donc! Maudit fatigant! s'emporta-t-elle.

Il porta la main à son foulard, comme s'il avait voulu me saluer avec un chapeau imaginaire.

—Serviteur, mademoiselle!

Puis il sortit en prenant soin de fermer la porte doucement. Flavie m'observa en fronçant les sourcils.

— Qu'est-ce qui vous prend ? Auriez-vous déjà rencontré Noré ?

— Non… non. D'où tient-il ces détails sur ma personne ?

Elle haussa les épaules.

— De votre père, sans doute !

— Et cette histoire de dévotion pour Jean le Baptiste ?

— Ah ça ! Pendant vos épisodes de délire, c'était votre sujet préféré. Noré en sait quelque chose, il a été constamment à votre chevet… Il ne voulait que vous taquiner. Il ne faut pas avoir peur de lui comme ça, mademoiselle. Noré est une pièce d'homme, c'est vrai, mais il a le cœur sur la main.

Le soir même, je me sentis assez bien pour me lever. Il ne me restait qu'une robe à peu près portable, celle en cotonnade blanche parsemée de violettes. Ma robe de mousseline était en lambeaux et ma robe de laine avait été découpée par Aishpanu.

— On dirait que vous allez au bal, mademoiselle ! s'extasia Flavie. Comme c'est joli ! Les toilettes ont bien changé, depuis mon mariage. C'est donc ainsi qu'on s'habille, maintenant ?

Je me gardai bien de lui dire que ma robe n'avait rien à voir avec une tenue de bal. Je restai vague dans ma réponse, pour ne pas la blesser :

— Oui, surtout en ville.

Elle m'offrit son aide pour boutonner le dos de ma robe. Je n'avais pas défait mes cheveux depuis Tadoussac. Aussi préférai-je ne pas tenter de me recoiffer et de laisser telle quelle l'épaisse natte de cheveux qui battait mes cuisses. Flavie prit la micouenne qui reposait près de l'âtre pour touiller une dernière fois le ragoût de perdrix qu'elle avait laissé mijoter tout l'après-midi. Pendant qu'elle avait préparé les carrés de pâte destinés à épaissir le bouillon, j'avais écrit au notaire Grandbois et à Claire-Françoise pour leur signifier que j'étais bel et bien arrivée au bout du monde. Même si je savais que mes lettres ne partiraient pas avant plusieurs jours, je tenais vraiment à les écrire dès mon arrivée. Me trouver du papier, une plume et un encrier avait été toute une affaire. Flavie avait dû se rendre au magasin pour demander le nécessaire à son mari. Elle m'avait aussi rapporté une planche, pour que je puisse écrire en restant au lit.

Bien que le temps se soit réchauffé, elle avait insisté pour que je reste dans la maison. Je n'avais aucune idée de l'univers qui m'entourait, de l'air qui courait à l'extérieur des quatre murs en planches debout de la maison. Par la fenêtre ouverte, c'est tout juste si j'apercevais quelques têtes d'épinettes. Assise sur un banc près de la table, j'attendais, anxieuse, que les hommes se présentent pour le souper. J'appréhendais surtout de me retrouver face à face avec Noré.

Le premier à arriver fut le commis, que tout le monde appelait Picote. C'était un homme osseux, de peu de manières, au regard rusé. Sa chemise, barrée de larges rayures vertes, était bien rentrée dans sa culotte de drap noir. Après avoir enlevé son chapeau, il me salua de quelques mots.

— Vous êtes réveillée, c'est tant mieux !

Il s'attabla immédiatement. Après avoir fixé le plafond quelques minutes, il dégaina le couteau qu'il portait à sa jarretière et le plaça devant lui.

— Ça sent bon la perdrix, ma femme.

Visiblement affamé, il trépignait d'impatience. Tantôt il cognait le manche de son couteau contre le bois de la table, tantôt il se trémoussait sur sa chaise en s'éclaircissant la gorge. Il finit par exploser :

— Qu'est-ce qu'ils font, bon sang de bon Dieu ? Sers-moi !

Juste comme Flavie posait devant son mari une écuelle bien pleine, Shaw, Blackwood, Boulette et Tshinisheu firent leur entrée en riant. Apparemment, Tshinisheu venait de servir une plaisanterie à Boulette. Ce dernier racontait l'anecdote en faisant de grands gestes.

— Quand je suis revenu au canot, mon aviron avait disparu !

Tshinisheu, content de son coup, ricanait. En écoutant le reste de l'histoire, je compris que Boulette avait dû revenir sans aviron d'une anse peu éloignée du poste. Avertis de la plaisanterie, Shaw, Blackwood et quelques Sauvages avaient accueilli Boulette au débarcadère en se moquant de lui.

—Qu'est-ce que t'étais allé faire là? demanda sèchement Picote. T'étais pas censé continuer à préparer les peaux?

—Flavie m'a dit qu'elle commençait à manquer de bois, expliqua Boulette. J'avais vu deux pins gris bien secs, à moitié morts, fin prêts pour le poêle de madame. Je suis allé les abattre.

—La prochaine fois, quand on te dira de gratter des peaux, tu gratteras des peaux. Le bois pouvait attendre encore quelques jours, pas les fourrures.

—Le bois peut attendre? s'indigna Flavie. Et comment est-ce que je vous ferai à manger? C'est à peine s'il me reste quelques bûches…

—Le point, ici, n'est pas de débattre de l'importance du bois par rapport aux fourrures, mais de comprendre qu'il faut obéir à son supérieur, trancha Picote.

C'est le moment que choisit Noré pour entrer. Il salua la compagnie et vint prendre place à l'une des extrémités de la table, juste à ma gauche. Je n'osai le regarder. Sa présence à mes côtés me consternait. Allait-il encore se laisser aller à quelques remarques déplacées? Je sentais son regard peser sur moi. Incapable d'avaler une bouchée, je revivais intérieurement la même situation intolérable que chez les Guyon. Je levai les yeux et croisai le regard de Tshinisheu. Assis en face de moi, les coudes sur la table, la tête entre les mains, il me sourit. Non, je n'étais pas chez les Guyon. Et mon père reviendrait dans quelques jours. Je reportai mon attention sur la table, attendant les questions que Noré ne manquerait pas de me poser. Or, il ne m'adressa pas la parole. Ses mains reposaient sur la table, non loin des miennes. Elles étaient grandes, brunes et marquées de multiples égratignures. Ses ongles, sales, rongés, n'étaient pas beaux à voir. L'un d'eux était complètement noirci, sans doute pour avoir reçu quelque coup. Le tour de ses poignets robustes était décoré de fines lignes tatouées sur sa peau brûlée par le soleil. Je restai surprise de la qualité des boutons cousus aux manches de sa chemise. Comme il ne me parlait pas, je me détendis.

Autour de la table, tout le monde mangeait de bon appétit, sauf moi. Aucun ustensile n'avait été mis à ma disposition. Chacun se servait de son propre couteau, qui tenait aussi lieu de fourchette. Avant même que je demande de l'aide à Flavie, Noré me tendit un petit couteau qu'il portait sur lui. Je le reçus avec une certaine méfiance. La lame était repliée à l'intérieur du manche. Comme je n'arrivais pas à la dégager, Noré reprit son couteau, en sortit la lame, et me le redonna. Je ne pus alors m'empêcher de regarder son visage et je ne vis que ses yeux gris, ou verts, ou bleus... Je ne savais plus. Il ne souriait pas. Malgré toute la luminosité de ses iris, je sentis sur moi son regard implacable et ténébreux. Je murmurai un remerciement qu'il dut être le seul à entendre. Il saisit alors le couteau qu'il portait à sa jarretière, l'essuya sur sa cuisse et se mit à manger. Le ragoût de perdrix ne valait pas le hachis « carotté » du commis du poste de Chicoutimi. Il était lourd et sans goût. Néanmoins, tous les hommes félicitèrent Flavie pour ses talents de cuisinière. Si bien que je me sentis obligée de la complimenter à mon tour. En y pensant bien, sans oignons, sans herbes aromatiques et sans légumes, il devait être difficile de cuisiner des miracles. Au moins y avait-il de la moutarde et du vinaigre pour relever le tout.

— T'es donc bien silencieux, mon Noré, commença Picote. Ton oiseau rare est assis à côté de toi, tu devrais être content !

Flavie jeta un regard noir à son mari, qui arborait un sourire narquois. Noré ne répondit rien. Il se mit plutôt à s'entretenir avec Tshinisheu dans la langue des Montagnais. Par politesse, Boulette baragouina un peu d'anglais à Shaw et à Blackwood. Quant à Flavie, elle me jetait de temps en temps des regards de connivence qui me firent chaud au cœur.

Lorsque les hommes eurent entièrement vidé le chaudron, ils se mirent en devoir de terminer un pichet de mélasse. L'épais sirop noir était versé dans les écuelles qu'ils nettoyaient jusqu'à la dernière goutte avec des biscuits de mer.

—Je ne vous ai pas préparé de galette aujourd'hui. C'est mieux de ménager la farine. Si ça continue de même, il n'en restera plus…

—Ça ne fait rien, l'excusa Boulette. T'es fine pareil! Hein, qu'elle prend bien soin de son monde?

—*Ehe*[1]! Elle nous laisse entrevoir des petits bouts de paradis! approuva Noré.

Debout, la théière à la main, Flavie rougit de confusion et de plaisir. Picote alla chercher une bouteille sur l'une des étagères. À voir la forme carrée et la couleur verte du flacon, j'en déduisis qu'il s'agissait de gin. Il servit à boire aux hommes et porta un toast.

—À ma femme! À l'été de 1816! Et longue vie à la Compagnie du Nord-Ouest!

Tous vidèrent leur verre d'un seul trait. Picote voulut servir à nouveau les hommes, mais Shaw et Blackwood s'excusèrent. Encore fatigués de leur voyage, ils souhaitaient regagner au plus tôt la maison des engagés. Boulette, Noré et Tshinisheu ne se firent pas prier pour profiter encore un peu des largesses du commis. Ils buvaient à tout et à n'importe

---

1. Oui.

quoi : au bourgeois Connolly, à la peau douce des Sauvagesses… Intimidée par leurs toasts de plus en plus grivois, je me levai de table pour constater que je n'avais nul autre endroit où aller. Il y avait bien une causeuse à droite de la cheminée, mais je crus impoli et hautain de quitter la table pour aller m'isoler dans un coin. Malgré sa décrépitude, ce fauteuil à deux places détonnait par son élégance. L'espace d'un instant, je me demandai quel fou avait pu avoir l'idée de le transporter jusqu'ici. Mis à part un banc-coffre assez rudimentaire, il n'y avait aucun meuble digne de ce nom dans la pièce.

— On n'est pas assez bien pour la demoiselle de Québec ? demanda Picote en tapant avec sa main sur une bûche placée à côté de lui, m'invitant à me rasseoir. Venez donc nous parler de la grande ville et du beau monde…

Prise au dépourvu, je souris tout en restant debout.

— Je n'ai pas grand-chose à raconter sur Québec, monsieur.

J'entrepris de desservir la table pour aider Flavie.

— Avez-vous déjà remarqué que les plus belles filles sont les plus revêches ? continua Picote.

— Pour ça, oui ! renchérit Boulette.

Pendant que Flavie préparait le thé, j'empilais les écuelles de ces messieurs.

— Plus elles sont belles, plus elles ramassent de la vaisselle, continua Picote. Y a d'autres choses, aussi, qu'il faut savoir. Je tiens ça de Napeukamatet. C'est pour dire si c'est une vérité ! Plus elles ont les cheveux longs, plus elles embrassent mal.

Il se trouva très drôle et ne put s'empêcher de rire de sa propre plaisanterie avec Boulette, Noré et Tshinisheu. Flavie soupira.

— Sortons, mademoiselle. Il fait bon, ce soir. Cela ne pourra pas vous faire de mal.

Une fois dehors, je respirai enfin. L'air était tiède, enivrant, chargé des parfums de la pessière. La maison, qui ne payait pas de mine, se situait dans une petite clairière parsemée d'herbe à dinde. Elle faisait face au lac, que l'on devinait derrière quelques trembles. Devant moi, un sentier bordé de spirées descendait en pente douce jusqu'au débarcadère. Juste en haut, sur un lit de quatre-temps, reposaient trois canots d'écorce à demi retournés. Je pouvais entendre le clapotis des vagues sur la rive rocailleuse envahie par les aulnes et le bois-sent-bon.

— Je vais vous faire faire le tour, me proposa Flavie en m'invitant à la suivre dans un sentier qui partait vers la gauche.

Autour des quelques bâtiments du poste flottait une atmosphère empreinte de pauvreté et de misère. Tout y concourait. La cabane abandonnée qui ne servait plus qu'à abriter quelques plantes d'ombre, la maison des engagés, avec son unique fenêtre cassée, et le potager complètement ravagé par le gel.

Au-delà de la clairière se dressait une impénétrable forêt d'épinettes. Flavie semblait parfaitement imperméable à la désolation de son univers.

—Je n'ai rien pu faire contre les dernières gelées, déplora-t-elle. L'année prochaine, je vais me reprendre. Vous voyez, ici, je plante des patates. Et de ce côté, c'est mon jardin aromatique et médicinal, termina-t-elle avec fierté.

Je ne voyais aucun jardin.

—Ah! Vous cultivez des plantes médicinales? demandai-je pour alimenter la conversation.

—Oui! Regardez mon millepertuis!

—Il est très beau! lui dis-je pour l'encourager.

—Et venez voir! Depuis l'an dernier, j'ai mon poulailler! C'est Noré qui me l'a construit! L'hiver, je peux même le chauffer.

Sans l'ombre d'un doute, les poules étaient mieux logées que les hommes au poste du lac Chamouchouane.

—C'est du beau travail! me fallut-il admettre. Noré travaille ici comme engagé?

—Non! Il ne travaille pas pour mon mari... C'est un hivernant engagé directement par le bourgeois pour faire du commerce en dérouine[2] pendant

---

2. Commerce itinérant qui se pratiquait à l'extérieur des postes de traite (le voyageur se rendait chez les Autochtones pour faire du troc).

l'hiver. Il traite avec les Têtes-de-Boule[3], les Montagnais qui vivent sur la hauteur des terres et même avec les Mistassins, qui chassent beaucoup plus au nord. L'été, il reste au poste et donne un coup de main par-ci par-là. Il fait ça depuis cinq ans. Son contrat se terminait ce printemps.

Après m'avoir laissée longuement admirer ses poules parfaitement quelconques, Flavie me ramena vers la maison.

—Êtes-vous fatiguée, mademoiselle ? Il reste à voir le magasin.

—Non, je ne suis pas fatiguée. Cette promenade me fait du bien.

Le magasin se trouvait derrière la maison du commis. Seul Picote en détenait la clé. Aussi me contentai-je de jeter un coup d'œil à l'intérieur par une fenêtre. Les carreaux étaient si sales que je ne pus rien voir. Entre la maison et le magasin, des bûches noircies marquaient l'emplacement désigné pour faire les feux. Nous quittâmes bientôt la clairière pour nous enfoncer dans la forêt par un étroit sentier. Nous marchâmes en silence jusqu'à un embranchement.

—De ce côté, on peut aller jusqu'aux cabanes des Sauvages, me montra-t-elle en pointant le sentier

---

3. Ancienne dénomination de la nation Atikamekw.

qui courait à droite. Quand vous serez totalement remise, je vous y emmènerai.

Flavie me précéda dans le sentier de gauche. Son pas était vif et j'avais presque du mal à la suivre. Le chemin finit par déboucher sur une pointe rocheuse où croissaient quelques cormiers. Le dégagement soudain de l'horizon me donna une impression de vertige. Devant moi s'ouvrait une vaste étendue d'eau.

— N'est-ce pas que c'est beau ? s'émerveilla Flavie. C'est le lac Chamouchouane.

À perte de vue, la même forêt d'épinettes d'une densité prodigieuse formait une ligne sombre et continue entre l'eau et le ciel. Au loin, de l'autre côté du lac, une faible colline brisait la monotonie du paysage. Le reste n'était qu'eaux noires et bordures d'aulnes. J'avançai de quelques pas et respirai profondément, soulagée, pour une fois, d'admirer la forêt à distance. Sur ma droite, une paisible petite baie abritait un îlot de pierres et d'herbages. Yeux clos, je renversai la tête en arrière pour offrir mon visage aux rayons du soleil couchant.

Flavie s'était assise sur une grosse pierre pour bourrer sa pipe. Elle l'alluma prestement, avec la même adresse qu'un homme. Je pris place à ses côtés et nous restâmes de longues minutes sans parler, à suivre le déclin du soleil. Un long cri plaintif se fit entendre dans le lointain.

—C'est un huard, me rassura Flavie. Un bel oiseau noir avec un collier d'argent. Il appelle sa belle. Elle ne tardera pas à lui répondre. Chaque soir, c'est la même chose. J'aime bien les entendre. Ils se relaient toujours vers cette heure-ci pour couver les œufs. L'heure que je préfère.

—Vous ne vous ennuyez jamais? osai-je demander. Il me semble que sur cette pointe, nous sommes seules au bout du monde.

—Au bout du monde? Non, nous sommes ici à la croisée de tous les chemins! D'ici, vous ne pouvez pas la voir mais à droite, la Chamouchouane décharge le lac jusqu'au Pekuakami. À gauche nous arrive la Miskokan[4], qui prend sa source non loin du pays des Têtes-de-Boule. Et là, droit devant, vous voyez l'embouchure de la Nikupau[5]. C'est par cette rivière que votre père arrivera dans quelques jours.

Elle me tendit sa pipe. Le devant du fourneau était modelé en forme de visage.

—Vous en voulez?

Par politesse, je pris quelques bouffées, recrachant tout de suite la fumée, de crainte de m'étouffer.

---

4. Aujourd'hui la rivière Marquette.
5. Aujourd'hui la rivière Normandin.

—Pour vous dire toute la vérité, je m'ennuie plus souvent qu'à mon tour, avoua-t-elle. Vous êtes la première Canadienne que je vois en six ans.

—Oui… Connolly m'avait avertie que je serais la deuxième Blanche à monter jusqu'à la hauteur des terres.

—Connolly? Vous avez vu Connolly?

—Oui.

—Quand?

Je sentais Flavie nerveuse, tout à coup.

—Il y a moins d'un mois, lui indiquai-je.

—Comment était-il?

—Il avait l'air bien.

—Heu… Avait-il l'air heureux?

—Je ne saurais vous dire.

Elle chercha à calmer son agitation en aspirant longuement sa pipe. Après avoir attendu quelques secondes, elle avança le menton et exhala du bout des lèvres un long et mince filet de fumée qui s'envola vers les nuages où se confondaient maintenant des nuances de rouge, de rose et de mauve. Sa manière de fumer me rappela celle de Poupart.

—C'est un gentleman, n'est-ce pas? demanda-t-elle.

J'oubliai Poupart pour me concentrer sur mes souvenirs de Connolly.

—Oui, c'est un homme élégant. Son gilet de velours était brodé avec du fil d'argent.

—Du velours ? Du fil d'argent ? Ah ! Il devait être très élégant.

—Très.

J'avais l'impression que mes réponses la peinaient tout autant qu'elles la rendaient heureuse.

—Il vous a parlé ?

—J'ai même dîné avec lui.

—Parlait-il français ?

—Oui...

À quoi rimaient toutes ces questions ? Elle me sourit tristement.

—Il sera mon éternel regret.

—Je... Madame...

—Non, laissez cela. Appelez-moi Flavie.

—À la condition que vous me tutoyiez et que vous m'appeliez...

J'hésitai avant de poursuivre.

—... que tu m'appelles Angélie.

Ce soir-là, j'appris que Flavie s'était mariée en 1810, un matin de juin, à la chapelle de Chicoutimi. Son père, un négociant en fourrures du lac Kapibouska[6], avait décidé de la donner en mariage à Aurélien Picote, qui venait tout juste d'être nommé commis au sein de la Compagnie du Nord-Ouest. Elle avait alors 20 ans.

---

6. Aujourd'hui la ville de Saint-Tite.

—Connolly s'était offert pour être le témoin de Picote. Il est ensuite passé par le poste de Chamouchouane pour se rendre à la presqu'île Ayikwapit, au lac Mistassini. Puis il est repassé nous voir en 1812, en 1813 et en 1814… Je lui ai appris ses premiers mots de français…

Après un long soupir, elle ajouta :

—Pour ça, je ne manque pas d'occupations, ici. La Compagnie y veille. Je suis autorisée à rester uniquement à titre d'engagée. De toute façon, où irais-je ? Je n'ai personne au monde. Le pire, Angélie, je te dirais que c'est l'hiver. L'été, il y a les Sauvages. Les femmes sont bien bonnes pour moi. Sans elles, je crois que je serais morte d'ennui ou de désespoir. Et puis il y a Noré, qui vient toujours faire son tour…

Son visage s'assombrit.

—Quand arrive l'automne, tout le monde s'en va trapper. Certains redescendent, d'autres montent encore plus haut. Oui… L'automne, les canots disparaissent sur ces trois rivières que tu vois là. Et juste d'y penser, ça me donne envie de pleurer.

Chapitre 13

Des raisins
pour mademoiselle

Je m'éveillai en sursaut, complètement désorien-
tée. Mon lit avait été transporté la veille dans les
combles de la maison, véritable fatras. Il me fallut
quelques secondes pour me rappeler où j'étais.
Assise dans mon lit, je portai la main à mon cœur,
qui battait à tout rompre. Peu à peu, il revint à un
rythme normal. Rassurée, je m'étirai longuement.
Un merle émit quelques notes. Dans l'air cru de la
nuit, son chant resta en suspens, comme un appel.
Un bruant lui répondit timidement. Puis, tous les
oiseaux des alentours se mirent en devoir d'annoncer au monde que le jour allait bientôt se lever.
Leurs gazouillis avaient quelque chose de rassurant.
La terre tournait toujours et la vie suivait son cours.
Je passai ma robe et attendis, dans l'obscurité, le
réveil de Flavie ou de Picote. Pour me garder au

chaud, je mis ma couverture sur mes épaules. De longues minutes passèrent avant que je ne me décide à descendre l'échelle, sans bruit.

La pièce principale baignait dans une pâle clarté. Tout était dans le même état que la veille : la vaisselle n'avait pas été lavée et la bouteille de gin, vide, était couchée sur la table. Flavie et Picote dormaient dans une pièce attenante, dont l'embrasure était fermée par une couverture pliée sur une corde tendue. Je m'assis sur la causeuse élimée et fermai les yeux pour mieux écouter le chant des oiseaux. Dans l'aube naissante, toutes les sonorités de la nature parvenaient jusqu'à moi, amplifiées par une inexplicable magie. La brise légère dans le feuillage des trembles, le cri de l'écureuil, l'envol de la perdrix… Si bien que j'entendis nettement le bruit sourd des pas de quelqu'un qui s'approchait de la maison. Noré entra sans frapper.

Sans s'apercevoir de ma présence, il déposa contre le mur le long fusil qu'il portait et se dirigea vers le feu, qu'il ranima à l'aide du tisonnier. Après avoir réchauffé ses mains quelques minutes, il releva la bouteille de gin et vérifia s'il n'en restait pas une goutte. Peu convaincu par son examen visuel, il finit par porter le flacon à sa bouche. Sous son capot de laine, retenu par sa ceinture à flèches, il ne portait pas de chemise. À son cou, dans son dos, sur ses flancs et autour de sa ceinture pendaient couteaux, besaces, hachette, sac à feu et corne de poudre. Pour manifester ma présence, je ne songeai à rien de mieux que de m'éclaircir la gorge. Il ne sursauta pas.

—Mes respects, mademoiselle! fit-il simplement en retirant son bonnet rouge.

Il avait le même regard pesant et désagréable que la veille. Son sourire, qu'il voulait peut-être rassurant, ne me causait que du déplaisir. Plusieurs mèches de ses cheveux étaient décorées de galon rouge et de grosses perles blanches. Je me pelotonnai sous ma couverture. À mon grand soulagement, Flavie parut. Elle ne s'était même pas donné la peine de s'habiller. En chemise, pieds nus, les cheveux défaits, elle trottina vers le feu. Après avoir couvert ses épaules d'une couverture, elle nous salua d'une voix enrouée.

Malgré tout ce qu'il transportait sur lui, Noré trouva le moyen de s'asseoir. Flavie posa devant lui un gobelet, qu'elle remplit de rhum. Il en avala le contenu d'un trait, sans grimacer le moindrement. Elle lui en versa un second, qu'il dégusta à petites gorgées, en silence. Aucun échange verbal n'avait été nécessaire. J'en déduisis qu'il s'agissait là d'un rituel pratiqué quotidiennement. Son verre vide, Noré se leva et alla reprendre son fusil.

—Tu ne veux pas attendre le thé? se surprit Flavie.

—Non... pas ce matin.

—En plus… tu ne portes pas de chemise ?

Noré parut embarrassé. Flavie secoua la tête.

—C'est bon, je passerai chercher ton linge dans la maison des engagés.

—Je pense que Tshinisheu et Boulette ont aussi du linge à faire laver.

Flavie soupira.

—Qu'est-ce que tu fais, aujourd'hui ?

—Je m'en vais chasser à la baie Blanche. Tu veux quoi ?

—Tue-moi donc un orignal ! le défia-t-elle, un sourire en coin. On en a assez du petit gibier de rien du tout.

—À condition que tu me fasses de la galette !

—Espère toujours !

—Tu diras à Picote où je suis parti, lui intima-t-il avec plus de sérieux. Je ne reviendrai pas tard pour aider les gars à continuer de préparer les fourrures.

Avant de passer la porte, il me jeta, derrière sa grosse barbe noire, un regard appuyé que je ne sus interpréter. Par la fenêtre, je le regardai s'éloigner. En passant près d'un canot, il s'en saisit et d'un seul geste le renversa sur ses épaules avant de descendre vers le lac d'un pas léger.

—Va-t-il vraiment te rapporter un orignal sur commande ? demandai-je.

—J'en doute ! Personne n'a vu d'orignal ou de caribou dans les parages depuis un bon mois ! Tout le monde ici se désespère de manger autre chose que du lièvre, de la perdrix ou du poisson.

Lièvre, perdrix, poisson. Mes premiers jours au poste se déroulaient de la même façon, ou presque. Le matin, je suivais Flavie qui allait inspecter ses collets à lièvres. Si elle n'avait rien pris, nous nous rabattions sur la pêche au filet. De son côté, Noré partait à la chasse dès l'aube, pour ne ramener que de la perdrix ou du porc-épic. Boulette et Tshinisheu n'étaient pas autorisés à l'accompagner, occupés qu'ils étaient à préparer les peaux emmagasinées au poste. Les fourrures devaient être prêtes à partir pour Chicoutimi dès que le ravitaillement arriverait. Au magasin, il ne restait plus ni lard ni pois secs, et presque plus de farine. Les Sauvages venaient souvent s'informer de l'arrivée des marchandises. Picote ne savait plus quoi inventer pour les faire patienter.

— Ils vont tous aller à Rush Lake! se lamentait-il. La Hudson's Bay ne fera qu'une bouchée de nous!

Pour oublier ses tracas, il buvait du gin ou du rhum, les seuls articles dont le magasin était encore bien pourvu. Pour ne pas perdre ses clients mécontents et les garder à proximité, il allait jusqu'à leur offrir régulièrement une régale[1]. Le midi, Flavie préparait des crêpes avec du blé noir et des œufs.

---

1. Ici, un verre de rhum ou de gin.

Nous les mangions avec de la mélasse. Je l'aidais du mieux que je pouvais dans ses tâches quotidiennes, en dépit de sa forte propension à tout remettre au lendemain. Elle préférait de beaucoup partir en balade ou s'adonner à sa passion pour les ceintures à flèches, qu'elle tissait merveilleusement bien. Heureuse de pouvoir partager ses petits bonheurs avec quelqu'un, elle m'emmenait partout avec elle. Ainsi, elle me montra où me baigner sans risquer d'être vue. Elle m'apprit à tendre les pièges et les filets, à arranger les perdrix, à faire de la galette, à fumer la pipe, et, surtout, à ne pas m'en faire avec les taquineries des hommes.

Le soir, pendant que ces messieurs fumaient et jouaient aux cartes ou aux dames, nous allions sur la pointe contempler le coucher du soleil et espérer le retour de mon père. C'était l'heure où les Sauvages rentraient de la chasse. Il y avait toujours quelques canots glissant silencieusement sur le lac. La soirée s'écoulait tranquillement et, petit à petit, le froid s'installait, nous obligeant à nous couvrir. Flavie prenait avec elle le capot de son mari. De mon côté, trop honteuse de l'état de ma cape, je me contentais d'une couverture. Assises côte à côte, nous admirions le ciel aux teintes changeantes. Nous restions ainsi jusqu'à ce que les têtes des épinettes se découpent en une ligne noire et dentelée sur la mince bande de lumière orangée qui, longtemps, subsistait à l'horizon. J'étais fascinée par les dégradés de couleurs qui se formaient sur le bas du ciel et qui se reflétaient dans l'eau. Une splendeur, chaque jour différente et toujours aussi merveilleuse. L'orangé, le jaune, le vert, le bleu clair, puis enfin, le bleu nuit parsemé d'étoiles innombrables. Les soirs où Picote se mettait au violon, ses tristes mélopées parvenaient jusqu'à nous et se mêlaient aux aboiements et aux hurlements des chiens des Sauvages.

❧

Le cinquième jour suivant mon arrivée au poste, je m'éveillai à l'aube, comme d'habitude. Je descendis l'échelle et allai me pelotonner sur la vieille causeuse qui constituait à elle seule le salon de la maison. Comme d'habitude, Noré arriva le premier. Il m'offrit ses respects en portant la main à son bonnet rouge, qu'il ne se donna même pas la peine d'enlever. Dès lors, sans trop comprendre d'où me venait ce pressentiment, je sus que cette journée se déroulerait différemment des autres. Rien ne serait comme d'habitude.

À preuve, Noré n'avait pas apporté son fusil ni son équipement de chasse. Au lieu de se réchauffer les mains devant le feu, il faisait les cent pas d'un bout à l'autre de la pièce. Flavie, qui se levait toujours quelques minutes après l'arrivée de Noré, tardait à se montrer. Le silence devenait de plus en plus lourd. La politesse la plus élémentaire exigeait que lui et moi échangions quelque propos. Il s'approcha de moi, sûr de lui.

—J'ai remarqué que vous portiez toujours cette couverture sur vous, mademoiselle. N'avez-vous pas un manteau pour vous protéger du froid ?

—À votre avis ?

Je lui avais répondu rapidement, sur un ton peu amène, comme celui qu'empruntait Flavie quand elle souhaitait remettre à leur place les hommes qui lui posaient des questions mal venues.

—Je crois que vous n'en avez pas, avança-t-il sans se laisser démonter.

—Alors, pourquoi me poser la question ?

—Pour briser le silence qui existe entre nous.

Je levai les yeux vers lui et crus percevoir, au travers de sa barbe, l'esquisse d'un sourire. Sa réponse était trop aimable à mon goût. Déterminée à le détester, j'aurais voulu que sa façon de m'aborder soit aussi déplaisante que la mienne. En cet instant, on aurait cru qu'il me suppliait du regard. Je restai muette.

—Si vous voulez, je peux vous prêter mon capot de laine par les soirs. Pour quand vous allez veiller sur la pointe, avec Flavie.

Juste d'imaginer me glisser dans son capot crasseux me faisait frissonner de dégoût.

—Merci, je préfère ma couverture.

Il leva ses mains devant lui pour me montrer qu'il n'insisterait pas, s'assit et posa ses coudes sur ses genoux. Il n'essaya plus de me parler. Les marges de couture de ses mitasses en peau étaient décorées sur toute leur longueur. Il n'avait pas mis son capot et avait roulé ses manches, laissant apparaître ses avant-bras striés de longues et fines lignes noires qui se terminaient en pointes au niveau du coude. Je tentai de voir s'il ne s'était pas fait tatouer quelque animal, comme Boulette. Mais ses cheveux, qui tombaient sur sa poitrine, cachaient son cou. C'est tout juste si je pus apercevoir un collier de piquants de porc-épic. Pensif, il grattait sa barbe en promenant sa main sur ses joues et son menton. Voyant que je l'observais, il me sourit, découvrant ses dents blanches. Flavie parut enfin, mettant fin à notre dialogue muet.

—Bonjour! lança-t-elle tout en mettant de l'eau à bouillir sur le feu.

Elle servit à Noré ses deux verres de rhum réglementaires puis, voyant qu'il restait assis, fronça les sourcils.

—Comment, tu ne vas pas chasser, ce matin?

—Non! J'abandonne.

Il étira ses longues jambes sous la table et croisa ses mains derrière sa tête. Flavie lui donna une tape sur l'estomac. Il ne bougea même pas.

— Paresseux, va!

— Je vais aller pêcher, à la place. Il faudrait aussi que j'aide les gars à terminer les fourrures. Après, on va achever de bûcher les pins de Boulette. Et si on ne finit pas trop tard, j'irai te chercher deux ou trois porcs-épics… s'il en reste dans le coin!

— Trop aimable!

Flavie et Noré se taquinaient sans arrêt. On sentait qu'une amitié profonde les liait l'un à l'autre et qu'ils n'avaient guère besoin de se parler pour se comprendre.

— Je vais emmener mademoiselle au magasin, aujourd'hui, poursuivit-elle. Elle pourra s'acheter des mocassins. Ça ne peut plus durer! Pas de manteau, des bottines percées…

Flavie avait eu la bonté de me prêter une jupe et un mantelet. Un peu courte à mon goût, la jupe laissait voir l'état lamentable de mes chaussures aux talons éculés. Quant au mantelet de drap, il m'allait de justesse. Au moins me restait-il deux chemises en bon état. Picote vint s'asseoir pour prendre son rhum. À peine avait-il posé ses coudes sur la table que quelques coups discrets furent frappés à la porte. Toujours très polis, Shaw et Blackwood étaient les seuls à frapper avant d'entrer.

— *Come in*[2]! cria Picote.

---

2. Entrez!

Le matin, ces deux-là buvaient du thé, jamais de rhum. Flavie les servit promptement. Ils demandèrent s'ils pouvaient prendre un canot pour aller explorer le cap de Pierres à l'extrémité sud du lac.

—Faites donc! les autorisa le commis. Où sont Boulette et Tshinisheu? *Are they sleeping in[3]?*

—*They didn't come back last night[4]*, lui rapporta Blackwood.

—Maudit torrieu! pesta Picote. Ils sont allés faire les jars chez les Sauvages...

Il prit une éclisse de cèdre sur la cheminée et l'approcha du feu. Je suivis des yeux la petite flamme jaune et sautillante qu'il porta jusqu'au fourneau de sa pipe.

—Je m'en vais au magasin, annonça-t-il, l'air mauvais. Ils sont mieux d'être pas tard à l'ouvrage, ces deux bâtards-là...

Il sortit en claquant la porte. Noré se leva à son tour et s'amusa à parodier Picote. Il alluma sa pipe exactement de la même façon que le commis et s'adressa à nous sur le même ton déplaisant, avec les mêmes mimiques:

—Je m'en vais à la pêche. Ils sont mieux d'être plusieurs à virer autour de mon canot, ces enfants de chienne de poissons-là...

3. Sont-ils encore couchés?
4. Ils ne sont pas rentrés hier soir.

Flavie pouffa, et je ne pus m'empêcher de l'imiter. Il sortit sans se retourner, suivi de Shaw et de Blackwood, qui nous souhaitèrent une bonne journée.

Il devait être environ une heure avant midi lorsque nous nous décidâmes à aller au magasin. La journée était belle et lumineuse. Jamais encore je n'avais vu les eaux du lac aussi bleues. Pour un peu, j'aurais eu envie d'y faire un tour de canot. Il ne manquait plus que la chaleur et ce serait l'été. Dans l'appentis attenant au magasin, Boulette, Tshinisheu et Noré travaillaient joyeusement. De loin, nous les entendions rire. En approchant, je notai qu'ils portaient tous un foulard sur le bas du visage. Je compris vite pourquoi. L'odeur qui se dégageait des fourrures à préparer pour Chicoutimi était pestilentielle. Boulette sortit une peau d'un baquet d'eau et l'étala, fourrure dessous, sur un tronc d'arbre. Avec un grattoir, il entreprit d'enlever toutes les chairs restées accrochées à la peau. La putréfaction faisait son œuvre et j'eus un haut-le-cœur.

—Le seau pour vomir est juste là, mademoiselle, m'indiqua Boulette.

Tshinisheu me tendit le seau en question, qui était rempli de tous les restes grattés depuis le matin. Dégoûtée, je me détournai. Les hommes ricanaient.

—Oh! La belle base de bouillon! ironisa Flavie. Je pourrais vous faire un bon brouet de renard, ce soir. Juste pour vous autres, les gars! À voir comment la puanteur ambiante vous donne des idées de gentillesse, vous mériteriez bien pareil traitement!

—Ce n'est pas de notre faute, Flavie, s'il y a des peaux mal grattées, se défendit Boulette.

—Elles viennent toujours du même trappeur, précisa Noré.

—On ne vous révélera pas son nom, enchaîna Boulette. Par charité chrétienne. On dira juste qu'il n'est pas encore marié et que c'est un péteur chevronné.

Ils rirent de plus belle; nous nous éloignâmes, découragées.

—Ils sont un peu trop de bonne humeur, s'inquiéta Flavie. J'ai bien peur que l'alcool ait coulé à flots depuis le matin.

Nous entrâmes dans le magasin. Debout derrière le comptoir, Picote nous accueillit avec un optimisme qui lui était peu coutumier.

—Entrez, entrez, mes belles dames! De la visite rare! Vous venez pour des raisins secs?

—Quoi! Il en reste? s'enthousiasma Flavie, folle de joie.

—J'en ai trouvé ce matin en faisant le ménage des caves!

—Donne-nous-en! supplia Flavie.

—Où sont tes peaux? Je ne fais pas la charité! Pas de passe-droit, ma femme!

Flavie le fusilla du regard.

—Garde-les, tes raisins secs de fond de cave! De toute façon, on venait pour des mocassins. Qu'est-ce qu'il te reste?

—La même chose que l'été dernier.

Il se dirigea vers les étagères du fond de la pièce et se mit à farfouiller dans les boîtes. Blessée par l'attitude de son mari, Flavie se tourna vers moi. Elle haussa les épaules en me fixant de ses yeux tristes. Le magasin se composait d'un énorme comptoir derrière lequel s'empilaient, du sol jusqu'au plafond, des marchandises de toutes sortes emballées dans des contenants en tous genres, ainsi que nombre de couvertures soigneusement pliées et de fusils accrochés au mur.

Il était impossible d'accéder à l'arrière du comptoir. En attendant de pouvoir parler au commis, les clients devaient user de patience, quitte à se reposer en utilisant les quelques bûches laissées à leur disposition. Flavie et moi nous assîmes en attendant qu'il revienne. Encore secouée par le manque de générosité de son mari, mon amie restait muette.

—Je vais en acheter, des raisins secs, lui chuchotai-je.

—Oh... Laisse tomber. Les raisins ont peu de choses à voir avec mon chagrin.

Elle avait pourtant semblé si heureuse, quelques minutes plus tôt, à l'idée d'en manger ! Je résolus de lui en acheter. Picote revint.

—Voilà les deux modèles d'été fournis par la Compagnie. Ils sont en peau boucanée. Il y a le court et le long. Cependant, permettez-moi de vous recommander les souliers de bœuf, plus imperméables. Durant la belle saison, c'est ce que les voyageurs préfèrent.

Il plaça sur le comptoir une paire de souliers de bœuf et un seul mocassin de chaque modèle. L'un s'arrêtait à la cheville, l'autre montait légèrement au-dessus. Aucune fantaisie, aucun ornement. Il s'agissait apparemment des modèles de base utilisés par les voyageurs. Nous nous approchâmes pour les examiner de près.

—Tu en penses quoi ? me demanda Flavie. Le court, le long ou les souliers de bœuf ?

Sur ces entrefaites, un Sauvage entra dans le magasin avec Noré.

—Matishu[5] ! le salua le commis.

Picote paraissait tendu et heureux tout à la fois. Matishu déposa sur le comptoir la fourrure noire qu'il portait. Après une poignée de main, les hommes s'embrassèrent sur les deux joues.

---

5. Aigle.

— Depuis quand es-tu arrivé ? s'informa Picote en sortant de sous le comptoir une bouteille de gin et trois gobelets.

— Depuis hier, répondit Matishu, laconique.

Flavie me souffla quelques mots à l'oreille.

— C'est le chef.

Picote commença par remplir un premier gobelet, qu'il tendit à Matishu. Il allait en verser un à Noré, quand ce dernier leva la main en guise de refus.

— Non, je passe mon tour. Tu nous sers à boire depuis le matin !

— Je veux que mon monde soit content ! Tu es capable d'en prendre, hein, mon Noré ! Tu ne vas pas commencer à prêcher comme un curé…

Apparemment, la seule chose que Picote savait partager tenait dans une bouteille verte et carrée. Noré hésita quelques secondes et finit par se laisser convaincre. Les trois hommes trinquèrent.

— Bon ! Maintenant, les affaires ! décréta le commis. Quel bon vent t'amène, Matishu ?

— Un vent mauvais. Il paraît qu'il n'y a plus de nourriture au magasin et que tu renvoies tout le monde les mains vides, sans rien.

— Ce n'est pas vrai. Il me reste quelques denrées. Et je ne renvoie pas tout le monde sans rien. Le ravitaillement ne devrait pas tarder.

— Ça fait trois semaines que le ravitaillement ne devrait pas tarder.

Picote s'énerva.

—Qu'est-ce que j'y peux, moi?

—Il y a quatre jours, Napeukamatet a vu des canots prendre la Chamouchouane… Des canots tellement chargés que l'eau arrivait à deux pouces du plat-bord! Et tu prétends que tu n'as rien? Que la brigade de la Compagnie n'a rien laissé au poste?

—C'est la vérité. Ce que Napeukamatet a vu, c'est la brigade qui allait ravitailler le lac Mistassini. Il y a un nouveau poste, là-bas, et il faut beaucoup de matériel.

—Les postes de Mistassini seraient ravitaillés avant le nôtre?

Picote haussa les épaules.

—C'est comme ça! La goélette de la Compagnie n'était pas prête à quitter le port de Québec, mais la brigade, oui.

—Ce n'est pas la goélette de la Compagnie qui m'intéresse aujourd'hui. Nous avons besoin de farine et je sais que tu en gardes pour toi. Vois ce que je t'ai apporté.

D'un geste de la main, Matishu désigna la fourrure noire sur le comptoir.

—En échange, dit-il, je veux la farine que tu caches.

—Je ne cache rien! s'écria Picote, excédé. Et d'abord, pourquoi ta peau de loutre me ferait-elle changer d'idée?

Matishu parut choqué.

—Ce n'est pas une peau de loutre, mais une peau de martre.

—Ha! Ha! Tu voudrais me faire croire qu'il y a des martres toutes noires? Et ce serait moi, le menteur?

—Je ne mens pas, insista Matishu, solennel.

Noré prit la fourrure et la regarda de plus près.

—Il a raison, Picote. C'est bien une martre… Toute noire, c'est la deuxième fois de ma vie que j'en vois une. Où est-ce que tu l'as prise? demanda-t-il à Matishu.

—Je garde ça pour moi.

—Quand bien même tu m'apporterais la lune, Matishu, je n'ai pas de farine pour toi! soupira Picote, comme à regret.

Matishu se tourna vers Noré.

—*Auen e katshilat ute*[6]?

—*Apishish muk telu lushkuau uitshiuatsh apu tshika tshi mishkutunek nuapishtanim. Shash taht tshishikua eka muatau ilnu-pakueshikanilu*[7].

---

6. Qui ment ici?

7. Il lui reste un peu de farine, à sa maison, mais rien qui vaille la peine d'échanger une martre noire. Voilà des jours que les gens du poste n'ont pas mangé de galette.

Matishu s'adressa à nouveau au commis :

—As-tu autre chose à m'offrir pour cette martre noire ?

Picote prit la fourrure et la caressa de ses mains osseuses.

—C'est vrai qu'elle est belle ! admit-il. Je pourrais te donner des pièges à castor.

—Garde tes pièges en métal ! Ils ne valent rien pour attraper le castor ! Je parlais de choses à manger.

—Il me reste des raisins secs, du thé...

Flavie et moi suivions la conversation. À l'évocation des raisins secs, je ne pus m'empêcher d'intervenir :

—Vous seriez gentil de me garder un peu de raisins, monsieur Picote. Je vais en acheter avec mes mocassins.

Surpris, Matishu me regarda longuement, comme mécontent que quelqu'un ait interrompu sa conversation avec le commis. Je n'en étais pas sûre, puisqu'il était difficile de déchiffrer un regard aussi direct. Je tentai de m'expliquer :

—Je... C'est juste que je voulais des raisins. Je ne savais pas si vous alliez en acheter aussi...

Il me fixait toujours. Son accoutrement était semblable à celui de Noré, sauf qu'il portait, fait surprenant, un gilet à boutons dorés et un chapeau haut de forme. Ses cheveux étaient courts, pour un

Sauvage : c'est à peine si les pointes atteignaient son menton. Un sourire se dessina sur son visage. Je baissai les yeux. Il s'adressa d'abord à Flavie.

—*Kuei*, Flavie ! Nitshiku[8] aimerait te voir. Elle guette ton arrivée depuis plusieurs jours.

—J'irai très bientôt !

—Qui est cette jeune fille ?

—C'est la fille de Montizambert, répondit Picote. Mademoiselle, je vous présente Louis-Joseph Pikaluish, chef des Montagnais de Chamouchouane et de Nikupau[9]. Tout le monde l'appelle Matishu.

J'esquissai une révérence.

—Mademoiselle de Montizambert... Ne craignez rien pour vos raisins. Je vous les laisse.

—Elle arrive de Québec et ne veut rien nous conter de la grande ville et du beau monde, déplora Picote. Si au moins elle acceptait de nous parler un peu du poste de Chicoutimi. N'est-ce pas qu'ils sont beaucoup mieux que nous, là-bas ? Je suis certain que ce maudit Gilbert n'a pas manqué de farine, lui. Peut-être même que la goélette est arrivée et qu'il nous laisse poireauter avant d'équiper une brigade. Il se fout pas mal des postes secondaires et des gens de Chamouchouane. L'avez-vous rencontré, mademoiselle ?

---

8. Loutre.
9. En référence aux Ilnus qui habitaient la région du lac Ashuapmushuan et du lac Nicabau.

—Euh… oui! C'est-à-dire…

—Comment l'avez-vous trouvé?

—Il m'a fait bon accueil.

—Est-ce que c'est vrai qu'il s'est fait construire un four à pain tout neuf? Et qu'il a même des cochons, maintenant?

Je ne savais comment réagir à cet interrogatoire de Picote. Il me questionna encore:

—Qu'est-ce qu'il vous a servi à manger?

Je repensai au hachis «carotté», au pain frais et à la salade de pissenlit.

—Je ne m'en souviens plus, mentis-je.

—Ha! Voyez-vous ça! Voilà bien la fille d'un politicien.

Noré était passé par-dessus le comptoir pour aller prendre un lourd ballot qu'il déposa devant nous. Avec l'aide du couteau qui pendait à son cou, il brisa les liens qui le maintenaient fermé. Des fourrures de teintes diverses enroulées les unes sur les autres s'étalèrent sous nos yeux, comme un jaillissement de tendresse. Noré cherchait quelque chose.

—Ce sont tes fourrures, Noré? l'interrogea Matishu.

—*Ehe*.

—Elles sont belles.

—Il a tout le temps de la chance, le Noré, marmonna Picote.

—Il faut trapper pour avoir de la chance, ricana Matishu. Plus un homme trappe, plus il a de la chance. Ce n'est pas derrière ton magasin que tu attraperas une martre noire.

Noré sortit du lot une magnifique fourrure noire mouchetée de blanc. On aurait juré qu'elle était d'argent.

—Je la garde, celle-là, annonça-t-il.

—Tu ne vends plus ton renard argenté? rouspéta Picote, incrédule. Qu'est-ce qui te prend? Il vaut beaucoup.

—Je sais, mais je le garde.

—Remets-le tout de suite dans ton lot! Tu n'as pas le droit de garder des fourrures pour toi!

Noré leva les yeux sur Picote.

—Ah non?

—Non!

Même si l'hivernant paraissait très calme, on sentait poindre une alarmante férocité dans chacun de ses gestes. La lenteur avec laquelle il se redressa n'augurait rien de bon.

—Et qui m'en empêcherait? Toi, peut-être?

Picote détourna le regard. Noré rangea ses fourrures en gardant avec lui son renard argenté.

—Tu me dois encore, Picote, fit-il valoir en remettant le ballot à sa place. Tu vas me donner des raisins pour mademoiselle.

Picote soupira de découragement et Matishu ricana. Je ne savais plus où me mettre. Quel malheur! Je ne voulais rien accepter de cet homme. Pourquoi s'acharnait-il?

—Monsieur, commençai-je. Je ne peux accepter...

—Voyons! Ce ne sont que quelques raisins. Disons que c'est pour vous remettre complètement de votre mésaventure dans la Chigoubiche.

Je lui parlai sans le regarder:

—Faites comme bon vous semble. De toute façon, je n'aime pas les raisins.

—Ah... pourquoi vouliez-vous en acheter, alors?

—Pour Flavie! ripostai-je d'un ton sec en prenant le modèle de mocassin long dans mes mains.

Je coulai un regard vers Flavie, qui semblait consternée. Picote se détourna pour aller chercher les raisins.

—*Uehe matsheshuian, kakusseshishkueu nelu a*[10]? demanda Matishu, en s'adressant à Noré.

—*Ehe, muk nass apu pamilimit*[11], commenta ce dernier.

Quelle impolitesse que d'utiliser sciemment la langue des Montagnais pour que je ne comprenne pas leurs propos!

---

10. Le renard argenté, c'est pour la Blanche?
11. Oui, mais elle ne veut pas de moi.

—*Unitassitatu ma eka pamilimishk*[12] ! ajouta Matishu.

—*Nimiluatau ne ishkueu*[13] !

—*Ishkueuatsh miluateuatsh e nituhulitsh napeu. Uapatalihi*[14].

—Facile à dire ! reprit Noré en français. Ça fait un mois que je n'ai pas vu de gros gibier.

Je fus soulagée de constater que leur conversation portait sur la chasse et non sur moi.

—Un mois ? Pourtant, Tshishelnu a tué un caribou hier ! affirma Matishu.

—Hier ?

—Oui, hier !

Picote revint avec les raisins. Il en transvida une partie dans un casseau d'écorce, qu'il laissa sur le comptoir. Personne n'y toucha.

—Alors ? le relança Picote. Tu vas prendre quelque chose, Matishu ?

—Non. Je voulais de la farine. Je vais garder ma martre et tu vas garder ton thé méchant.

—Mon thé méchant ? Qu'est-ce que c'est que cette histoire ?

---

12. Elle ne veut pas de toi ? Alors elle n'a pas toute sa raison. Oublie-la !
13. Je la veux !
14. Alors montre-lui que tu es un bon chasseur. Ça marche avec toutes les femmes.

— Ton thé, là ! insista Matishu en pointant la grosse boîte en métal qui reposait au milieu d'une étagère.

— Eh bien ?

— Il n'est pas bon. Son goût est méchant. J'ai dû en boire tout l'hiver et maintenant, je l'ai sur le cœur. À Rush Lake, ils ont du bon thé.

— À Rush Lake, hein ?

Picote était furieux.

— On se démène pour organiser une foire à Nikupau, comme dans le temps, et c'est comme ça que tu nous remercies ? En soutenant que c'est mieux à Rush Lake ?

Matishu monta le ton :

— Justement ! Mes frères arrivent par centaines sur la hauteur des terres, pour le rassemblement ! Et tout ce que j'ai à leur offrir, c'est du thé méchant ! Il ne fallait pas lancer cette invitation. J'ai l'air de quoi ?

Picote pâlit.

— Des centaines ?

— Oui ! Des centaines ! Tu avais promis que cette année, la Compagnie nous ferait de meilleures offres pour nos fourrures. Qu'il y aurait un grand choix de marchandises ! Que la foire aurait lieu vers la mi-juillet, au bord du lac Nikupau… Je commence à douter de ta parole.

La colère de Picote reprit le dessus.

—Et ça recommence, hein? C'est moi, le menteur? Et toutes vos inventions, pour ne pas payer ce que vous devez à la Compagnie?

—*Auen e katshilassimit ni ka tshi katshilassimau*[15]. Insulté, Matishu allait sortir.

—Attends, Matishu, implora Noré. Ne t'en va pas comme ça. Tout ce que Picote avait promis est vrai. La Compagnie du Nord-Ouest vous offrira les meilleurs prix. Bien meilleurs que ceux de Rush Lake Post. À la foire, des cadeaux seront distribués à tout le monde. Il y aura même des présents exceptionnels pour les chefs. Notre bourgeois sait que tu as donné ton accord à ce grand rassemblement. Crois-moi, il te prouvera sa reconnaissance. Pour le thé, Picote va lui en parler. Il fera envoyer une autre marque. La même que celle de Rush Lake. Notre bourgeois sait quelle marque vend la Compagnie de la Baie d'Hudson.

Matishu réfléchissait. Noré plaida encore en faveur de la Compagnie du Nord-Ouest.

—Les marchandises arriveront demain ou après-demain. Tout ce retard, c'est à cause du mauvais printemps.

—Nous verrons bien. Je vous laisse trois jours. Après, j'irai au lac Nikupau avertir tout le monde que vous nous avez trompés. Puis nous lèverons le

---

15. Je sais mentir à celui qui me ment.

camp pour Rush Lake. Pas pour Métabetchouan et votre compagnie de menteurs.

Matishu ignora complètement le commis pour serrer chaleureusement la main de l'hivernant.

—Je suivrai ton conseil, Matishu, conclut ce dernier.

—Tu verras! Elles sont toutes pareilles.

Le chef parti, Picote sortit de ses gonds.

—Tu es complètement fou, Noré! hurla-t-il en postillonnant. As-tu perdu la tête? Tu ne sais même pas quand les marchandises arriveront! Peut-être que Connolly désapprouve notre initiative et qu'il n'enverra aucun présent pour les chefs! Qui te dit qu'il baissera les prix des marchandises? Tu es allé trop loin, maudit torrieu!

Il criait de plus en plus fort. Flavie et moi étions mortes de peur. Noré, placide, ne se laissait pas impressionner.

—Connolly est un homme intelligent. Il connaît bien la situation. Je suis certain qu'il trouve que ton idée est bonne et qu'il enverra ce qu'il faut. Ça fait une éternité qu'il n'y a pas eu de grand rassemblement au lac Nikupau. Tous les Sauvages…

Picote le coupa.

—Ce n'était pas mon idée, mais ton idée! vociféra-t-il. C'est toi qui m'as dicté la lettre pour Connolly!

Noré reprit comme s'il n'avait rien entendu.

— Tous les Sauvages sont enchantés à l'idée de se rassembler sur la hauteur des terres, comme autrefois. Cette idée, peu importe de qui elle vient, fait gagner des points à la Compagnie. Les Sauvages sont sensibles à ce genre d'attention et Connolly le sait. Nous lui avons donné le meilleur moyen de s'assurer la clientèle des Sauvages de la hauteur des terres. Je te le répète, il recevra favorablement ta requête et enverra tout ce qui est nécessaire à la réussite du rassemblement. À présent, seul le temps peut jouer contre nous.

— Mon pauvre Noré! As-tu pensé qu'il est peut-être arrivé malheur à la goélette? Qu'elle repose peut-être au fond du Saguenay? Ah! Malédiction! C'est toi que j'enverrai expliquer la situation devant les centaines de Sauvages en colère rassemblés au lac Nikupau! Tu leur annonceras qu'ils sont partis des quatre coins du Canada pour rien! Pour rien!

— Hé! Tu vas te calmer! D'abord, les Sauvages ne viennent pas au lac Nikupau pour troquer leurs fourrures. La plupart l'ont déjà fait ailleurs. Ils viennent pour se rencontrer, pour échanger. Il faut que tu comprennes Matishu! Mets-toi à sa place! Il a l'air de quoi devant les autres, sinon d'un chef misérable en disette? Il se sent humilié!

Picote eut l'air de se calmer un peu. Noré continua:

—C'est pour t'aider que j'ai tenté de le raisonner... Par amitié que je t'ai donné l'idée d'organiser une grande foire pour relancer ton poste... Tu n'as jamais vraiment su traiter avec les Sauvages... Si je n'étais pas intervenu, Matishu serait déjà parti au lac Nikupau pour tout annuler. Je t'ai fait gagner trois jours !

Picote enfonça sa tête entre ses mains. On voyait bien qu'il avait trop bu.

—Trois jours ! Trois jours avant de se faire trouer la peau ! C'est la dernière fois que je me laisse embarquer dans tes idées de fou ! De fou !

—De toute façon, je me demande bien ce que je fais encore ici ! ronchonna Noré à voix basse. Mon contrat est fini depuis des mois ! Et je me fiche pas mal de la Compagnie ! Je ne lui dois rien !

—Noré, où vas-tu ? l'interpella Flavie, voyant qu'il sortait d'un pas décidé.

—Chasser, répondit-il d'un ton radouci.

Pour mes mocassins, je choisis le modèle montant sur la cheville. Même la plus petite taille était un peu trop grande pour moi. Picote n'en crut pas ses yeux quand je payai avec de l'argent sonnant. Sa colère tomba complètement. Flavie et moi sortîmes du magasin la tête haute, mais le cœur en peine et craintives de ce que les prochains jours pourraient nous réserver. Les raisins étaient restés sur le comptoir.

Chapitre 14

Un entretien particulier

Le canot n'était plus qu'à une trentaine de pieds lorsque nous en aperçûmes la pince. À son bord, Noré souriait, triomphant.

—Je savais que vous seriez ici! J'en ai eu un!

D'un seul coup d'aviron, Noré propulsa son embarcation jusqu'à notre hauteur. Le soleil, déjà bas à l'horizon, projetait ses lueurs rougeoyantes dans l'atmosphère. À contre-jour, l'hivernant se leva pour désigner fièrement ce qu'il transportait. Devant lui gisait le corps d'un jeune orignal. La tête, ornée d'un petit panache aux quelques pointes velues, pendait à l'extérieur du canot. Ses yeux noirs bordés de longs cils semblaient me fixer sans me voir et sa langue, violette, sortait mollement de sa gueule en une grimace affreuse. Flavie applaudit.

—Oh! Merci! Merci, Noré! Comme tu es bon pour nous! Si tu n'étais pas si loin, je t'embrasserais!

Noré ne se fit pas prier. Il approcha prudemment son embarcation de la pointe où nous étions assises et sauta sur un rocher. Il offrait un triste spectacle, dans sa chemise toute tachée du sang de l'animal. Aussi Flavie préféra-t-elle ne pas trop s'approcher de lui. Elle se contenta de lui tendre le front. Il y déposa un baiser sonore. S'attendant à ce que je sois tout aussi heureuse que Flavie du résultat de sa chasse, il se tourna vers moi. Voyant que je n'arrivais pas à détacher mon regard du jeune animal et que je ne disais rien, il se détourna pour rattraper d'une main son canot, qui avait commencé à dériver doucement dans les joncs de la baie. Il reprit place à bord et s'éloigna dans le soleil couchant, après nous avoir lancé un triste sourire. Je voyais bien que son bonheur avait été terni par ma faute. Je me sentais coupable et malheureuse. Que pouvais-je faire, sinon rester froide, distante et désagréable avec lui ? Toutes les tentatives de rapprochement de cet homme me compliquaient l'existence, m'étouffaient littéralement… Je n'osais me représenter franchement ce qu'il attendait de moi. Certainement pas le mariage. Comment un homme des bois, un hivernant, pouvait-il seulement oser espérer m'épouser ? Ses intentions ne pouvaient être que malhonnêtes et déshonorantes.

—Angélie !

Flavie me donnait des coups de coude.

—Regarde, là-bas!

—Quoi?

—Deux canots arrivent par la Nikupau!

Elle se leva et plaça sa main en visière.

—Je crois bien que c'est lui! Oui! C'est lui! Montizambert arrive! Ton père, Angélie!

Je me levai d'un bond. Au loin, deux canots s'engageaient sur le lac Chamouchouane. La nervosité m'envahit. J'allais enfin revoir mon père. Les canots prirent la direction du campement des Sauvages.

—Il ne vient pas au poste?

—Non, il va d'abord retrouver sa femme!

Sa femme… J'avais fait exprès de ne pas aborder ce sujet avec Flavie. Je préférais entendre cette nouvelle de la bouche même de mon père. Debout face au lac, je suivais les canots des yeux. Dans ma tête, tout se bousculait. Qu'allais-je lui raconter? Le fait de le savoir complètement guéri et récemment marié avait changé quelque peu mes sentiments à son égard. Pendant que je souffrais et subissais les pires outrages, il avait eu le loisir de prendre une épouse… À mon départ de Québec, inquiète pour sa vie, je n'avais eu qu'un seul désir: me jeter dans ses bras. À présent, je ne savais plus que penser. Tous les événements survenus depuis ce fatidique 2 avril 1815 me revenaient en mémoire.

—Angélie! Viens! Vite! On va aller se chercher un canot pour le rejoindre aux cabanes des Sauvages.

Je sortis de mes souvenirs pour me précipiter à la suite de Flavie dans le sentier nous ramenant au poste. Arrivées à la descente du débarcadère, hors d'haleine, nous eûmes la mauvaise surprise de ne trouver aucun canot. Sur la berge, exténué, Noré soufflait un peu avant de poursuivre le déchargement de son orignal.

— Noré ! Tu nous laisses le canot ? Montizambert est arrivé aux cabanes des Sauvages !

— Montizambert est arrivé ? s'écria-t-il, soudainement tout joyeux.

— Oui !

— C'est bon ! Prenez mon canot !

Nous dévalâmes le sentier menant au débarcadère pour constater que le fond du canot était couvert de sang.

— Ah ! Impossible d'embarquer là-dedans ! glapit Flavie.

— C'est sûr que je n'ai pas eu le temps de le laver…

— Pourquoi il ne reste plus de canot ?

— Shaw et Blackwood ne sont pas revenus du cap de Pierres et Tshinisheu est au campement des Sauvages, expliqua-t-il.

Flavie rageait devant notre impuissance. Noré tenta de la calmer.

— D'ici une quinzaine de minutes, Montizambert sera ici. Les Sauvages ne manqueront pas de l'avertir de la présence de mademoiselle.

—C'est vrai, reconnut Flavie. Viens, Angélie. On va s'asseoir pour patienter.

Nous remontâmes vers la maison. Incapable de rester assise, je faisais les cent pas entre la haie de trembles et la cabane abandonnée. Pendant ce temps, Noré alla chercher Boulette et Picote au magasin. Ensemble, les trois hommes se mirent en devoir de hisser le corps de l'animal à la verticale, pour laisser reposer la viande. Ils me taquinaient à distance.

—Arrêtez de vous tracasser de la sorte, blagua Picote. Ce n'est pas votre amant qui vient vous trouver, mais votre père !

Attaché par la tête, debout sur ses pattes de derrière, le jeune orignal était étonnamment grand. Je n'arrivais pas à me réjouir de sa mort prématurée. Je croisais son regard terne à chacun de mes allers-retours et sa présence, toute proche, ajoutait à mon malaise. De temps à autre, Boulette descendait au lac pour voir si un canot approchait.

—Les voilà ! cria-t-il enfin. Tshinisheu est avec eux !

Tremblante, je m'approchai du débarcadère. Tout se déroulait au ralenti. Je vis d'abord une jeune fille, une Sauvagesse, déposer son aviron et sauter avec agilité sur la plage. Derrière elle se tenait mon père. Dans sa précipitation à vouloir débarquer au plus vite, il s'accrocha le pied dans le plat-bord du canot et faillit s'affaler dans l'eau et le sable. Il se rattrapa de justesse et se redressa, me cherchant des yeux. Il n'avait pas changé, peut-être même était-il rajeuni. Ses habits de ville n'avaient pas été entièrement troqués pour ceux des bois. Sur sa chemise sale, je reconnus son gilet à fines rayures, que j'avais toujours trouvé laid. Il y manquait la moitié des boutons. Il portait aussi son pantalon long, celui qu'il avait acheté chez l'un des meilleurs tailleurs de Québec, par nécessité, pour suivre la mode. Attachées sous ses genoux, deux jarretières à flèches vertes, blanches et rouges tranchaient joyeusement avec le bleu sombre du tissu. Si l'heure n'avait pas été aussi solennelle, j'aurais pu éclater de rire devant son apparence, qui me paraissait loufoque en de telles circonstances.

Nos regards se croisèrent. Il avait beau n'être parti que depuis un an, j'avais l'impression de le revoir après un siècle. Sans réfléchir plus longtemps, je me jetai dans ses bras. Autour de nous, personne n'osait rien dire.

—Ma fille! Ma fille ici! Je ne peux le croire!

L'émotion rendait sa voix aiguë. Jamais je ne l'avais senti si heureux. Après m'avoir serrée contre lui, il posa ses mains de chaque côté de mon visage et le secoua doucement, me regardant dans les yeux.

—Que fais-tu ici?

Je voulus parler et pourtant rien ne sortit. Pourquoi ne me laissait-il pas me réfugier au creux de son épaule ? J'en avais tant rêvé! Il insistait, attendant une réponse. Voyant que je restais muette, il me baisa le front et posa ses mains sur mes épaules. Il tentait de déchiffrer mon regard accablé.

— Qu'as-tu, ma fille ? Qu'as-tu donc ?

J'avais déjà tant pleuré! Pourtant, je ne parvins qu'à émettre de violents sanglots. Mon père s'alarma.

— Que s'est-il passé ? Parle-moi !

Je me pliai en deux, le visage figé dans une grimace de douleur. Il réalisa enfin que seuls des événements d'une extrême gravité avaient pu me mener jusqu'à lui. Son sourire disparut complètement. Il m'entraîna à l'écart, me soutenant du mieux qu'il le pouvait. Ses pas me guidèrent vers la cabane abandonnée. Il ne se retourna même pas pour s'excuser auprès du groupe, laissé derrière. Sous le vieux toit d'écorce, longtemps, je restai dans ses bras. Les yeux clos, je m'abandonnai à rêver que lui et moi nous reposions dans la pénombre du salon de notre vieille maison. Un doux songe habité par Gaby qui chantonnait dans la pièce voisine. Mais la maison, envahie par la mousse verte, n'avait plus de carreaux. Et la voix de Gaby disparut pour laisser place au chant d'une grive solitaire.

Mon père me fit asseoir sur le plancher et attendit patiemment que je me décide à parler. Je ne savais par où commencer.

—Richard n'est pas revenu, et madame Guyon est morte six mois après votre départ.

À partir de cette première phrase, je déballai tout : la longue agonie de ma protectrice, mon départ pour la rue Saint-Pierre, l'infâme Jean-Baptiste, mes fiançailles forcées, la promesse de mariage de Richard, le meurtre abject de mon bourreau et enfin, mon départ pour cette folle aventure qui faillit me coûter la vie. À l'exception de quelques détails trop intimes pour être révélés, je n'épargnai rien à mon père. Je le vis tantôt ravagé par le chagrin, tantôt fou de rage, criant vengeance. Au final, j'eus le sentiment qu'il ne lui restait au cœur que culpabilité et affliction. Il faisait à présent si sombre que je ne voyais pas les traits de son visage. Je ne distinguais que sa tête, qu'il secouait douce-ment. Pleurait-il ?

—Qu'ai-je fait ? dit-il enfin. Je n'aurais pas dû partir.

Je ne goûtais pas cet instant autant que je l'aurais cru. Maintenant que j'avais relaté tous mes mal-heurs, mes sentiments pour mon père étaient rede-venus les mêmes que ceux qui m'habitaient au matin de mon départ pour ce long voyage. Je l'aimais et je ne voulais pas qu'il souffre. Je cherchai à le déculpabiliser.

—Il fallait que vous partiez, père. Il le fallait pour vous. Richard aurait très bien pu rentrer d'Angleterre. C'était même ce qui était prévu, du moins implicitement. Et puis vous n'êtes pas responsable de la noirceur d'âme des frères Guyon.

—Ah! Ce gredin de Jean-Baptiste! Quelle pitié qu'il soit mort, que je ne puisse te venger! Il reste ce Paul de malheur. Celui-là ferait bien de rester caché jusqu'à la fin de ses jours. Quant à Michel...

Je frissonnai au ton sinistre de sa voix.

—Et Richard Philippe... N'a-t-il donc point mûri pour ignorer les dangers que court une jeune fille? Il aurait dû rentrer dès la fin de ses études, au lieu de courir le Lancashire!

Je me raidis.

—Il a fait comme vous, père. Il a supposé que tout irait pour le mieux!

—Tu me compares à lui?

—Oui! Et même, je pense que vous avez fait pire que lui! Vous m'avez abandonnée à mon sort en sachant très bien que madame était malade et risquait de nous quitter dans l'année. Richard, lui, l'ignorait! S'il avait su que sa mère se mourait, il serait revenu!

Voilà que nous nous querellions à nouveau. Je ne supportais pas que mon père s'en prenne à Richard. Ployant sous la culpabilité, il acheta la paix.

—J'accepte tes reproches. Il était malvenu de ma part de chercher à accuser Richard. D'autant plus que par ses lettres, nous savons à présent qu'il ne t'a jamais oubliée, ma fille, et j'en suis heureux pour toi. Je n'ai qu'à m'en prendre aux vrais coupables et à moi-même. Je n'aurais jamais dû te laisser seule à Québec... Avant de partir, je croyais ton destin scellé... Je me trompais lourdement.

Il prit mes mains dans les siennes avant de poursuivre :

—Me pardonneras-tu ?

—Oui, père. Je vous pardonne. Encore qu'il n'y ait rien à pardonner. Vous ne pouviez pas savoir ce que le destin me réservait.

Pour consoler mon père, je pensai à l'informer de la nouvelle de sa nomination. Un peu plus et j'oubliais complètement de lui annoncer qu'un cartographe et un arpenteur lui avaient été dépêchés en renfort. Il retrouva tout son entrain en quelques minutes et me fit part de quelques projets d'avenir. Son travail avançait bien. Dès l'an prochain, il pourrait présenter au gouvernement une carte détaillant toutes les richesses du lac Saint-Jean et de ses alentours. Par la qualité de son travail, il rentrerait en grâce auprès du nouveau gouverneur, le sensibiliserait à la cause des Canadiens, reprendrait peut-être même sa place dans le monde politique ! Il rêvait tout haut en riant, évoquant les jours heureux qui ne manqueraient pas de succéder aux heures tristes. Lorsqu'il fit allusion à notre vieille maison, je ne pus m'empêcher de penser à sa jeune épouse. Allait-elle occuper la place de ma mère à Québec ? Mon père dut avoir la même idée puisque son rire se termina en un laborieux raclement de gorge. Je devinai qu'il cherchait à m'informer de son mariage sans trop me choquer.

— Peut-être sais-tu déjà que je me suis remarié, finit-il par me confier dans un seul souffle.

— Oui, je sais.

Je m'attendais à ce qu'il m'explique un peu les circonstances entourant son union, mais il restait muet, comme honteux et embarrassé. Je m'expliquais mal sa réaction. Il était veuf depuis tant d'années... Pourquoi aurais-je jugé son comportement ?

— Je vous offre mes meilleurs vœux de bonheur, père. Puissiez-vous être heureux avec... ?

— ... Marie, compléta-t-il. Elle s'appelle Marie.

Il restait silencieux. J'allais lui poser d'autres questions puis, tout à coup, la vérité s'imposa d'elle-même. Assurément, il n'avait pas épousé cette jeune fille devant le père Bélanger. En avait-il l'intention ? Je préférai ne pas le savoir. Une affirmation choquante de Pierre-Antoine à propos du comportement des Canadiens dans les postes me revint en mémoire. «Ils séduisent les jeunes Sauvagesses avec de belles manières et les dévergondent sans scrupule», s'était-il emporté. «Ils appellent ça des mariages "à la mode du pays".»

—Allons rejoindre les autres, décida mon père. La nuit est noire, ce soir.

—Attendez, père. Il y a une dernière chose dont je voudrais vous parler.

—Je t'écoute.

—C'est à propos de Noré... Ce voyageur vagabond.

—Noré?

—Oui. Il me fait penser à Jean-Baptiste Guyon. Il me regarde de la même façon. J'ai toujours l'impression qu'il me guette. Cela, je ne peux le supporter.

—Noré? répéta-t-il, incrédule.

—Demandez-lui de me laisser tranquille, suppliai-je.

—Je... Tu me parles bien de Noré?

—Oui, il ressemble à Jean-Baptiste Guyon! Ne comprenez-vous pas ce que cela représente pour moi?

Un peu plus et je recommençais à pleurer. Mon père s'empressa de me rassurer :

—Je lui parlerai, Angélie... je lui parlerai.

Dans la clairière, derrière la maison du commis, un grand feu avait été allumé. Nous rejoignîmes le groupe massé autour du brasier. Toute la société du poste était réunie pour accueillir mon père, visiblement très apprécié. Shaw et Blackwood, revenus de leur expédition au cap de Pierres, lui serrèrent chaleureusement la main. Le feu, par ses joyeux crépitements et ses gerbes d'étincelles, ajoutait à la gaieté générale. Il ne faisait plus froid et les cœurs s'en réjouissaient. Picote, oubliant ses ennuis de la matinée, affichait une bonhomie contagieuse. Je cherchai Noré des yeux, mais ne le trouvai point. Soulagée par son absence, je me dirigeai vers Flavie. Elle avait préparé de la galette avec ce qu'il restait de farine. Elle avait même ajouté les raisins secs à la pâte.

—Ça aurait été bête de les gaspiller, expliqua-t-elle.

Mon amie avait retrouvé sa vivacité naturelle.

—Je ne sais pas pourquoi, je sens que les approvisionnements arriveront demain! affirma-t-elle d'une voix confiante.

—J'espère que tu as raison.

Mon père vint me présenter sa femme, Marie. Je restai frappée par sa jeunesse. Peut-être même était-elle moins âgée que moi. Menue, elle me souriait sans aucune timidité. Les traits de son visage, ses yeux surtout, avaient toutes les caractéristiques de la beauté indigène. À son cou pendait la croix en or ciselé qui appartenait, ou du moins avait appartenu, à mon père. Malgré la simplicité de sa vêture et de sa coiffure, il se dégageait de sa personne une grande noblesse d'âme et de cœur. Je ne savais trop comment la saluer.

— *Kuei !* lui dis-je finalement, en esquissant une révérence.

— Bonjour ! me répondit-elle.

En ce seul mot tenait presque toute sa connaissance du français. Mon père retourna auprès de Shaw et de Blackwood, ses nouveaux employés, laissant Marie avec Flavie et moi.

— Viendrais-tu m'aider, Marie ? lui suggéra Flavie.

La jeune femme comprit immédiatement ce que l'on attendait d'elle. De ses mains expertes, elle sépara en quatre boules d'égale grosseur la pâte débordante de raisins et les étira pour les enrouler prestement au bout de longues perches préalablement écorcées. Lorsque tout fut prêt, personne ne se fit prier pour dorer la galette à la flamme du feu. La tête par-dessus mon épaule, Boulette m'expliquait la meilleure façon de procéder.

— Il ne faut pas que la pâte touche les flammes, mademoiselle. Tenez votre perche plus bas... Là ! Juste au-dessus de la braise, mais en dessous du croisement des deux grosses bûches...

— Tu joues au professeur, Boulette ? plaisanta Noré.

Je tournai la tête vivement pour m'apercevoir qu'il se tenait debout, aux côtés de Boulette.

— Oui ! Elle me paraît bonne élève. Douée, même ! Je te la laisse... Elle ne doit avoir qu'un seul maître...

De connivence, les deux hommes émirent un rire bref, concrétisé par un simple soufflement de narines. Voilà que Boulette se mettait lui aussi de la partie. À quoi rimaient ses propos? Je notai que Noré avait changé de chemise et qu'il tenait un bol rempli de languettes de viande grillée et fumante.

—J'ai apprêté le foie et la langue de l'orignal, annonça-t-il. Qui en veut?

Picote se rua sur lui. Avec mille précautions, il saisit un long morceau entre ses doigts pour le porter à sa bouche. Tout le monde attendait son verdict de connaisseur.

—Du bonbon! décréta-t-il.

Les acclamations fusèrent. Nous allions nous régaler, quoique je n'arrivasse pas à m'en réjouir. Surtout lorsque je vis mon père aborder Noré.

—Noré? Ha! Ha! Te voilà, mon gars!

Il le prit dans ses bras et l'embrassa sur les deux joues avant de le secouer comme un prunier, ne le lâchant que pour lui donner un faux coup de poing au visage, comme s'il saluait son meilleur ami.

—Tu connais ma fille, à présent! s'exclama mon père.

—Non, monsieur. Je pensais la connaître, mais je me suis trompé.

—Mon pauvre Noré... Les femmes... On ne les connaît jamais vraiment.

La galette était croustillante tout autant que tendre à l'intérieur, et délicieusement sucrée par les raisins. Je goûtais à l'orignal quand je vis que Noré m'observait avec attention. Sciemment, je lui refusai le plaisir de me voir satisfaite. Je conservai un visage neutre et ne formulai aucun commentaire, même si la langue d'orignal faisait partie de mes mets favoris et que le foie, savoureux comme jamais, fondait dans la bouche. Picote, qui était allé chercher un barillet de rhum, revint en le brandissant dans les airs.

— À Noré! Sans qui ce festin n'aurait pas été possible!

— À Noré! répéta le groupe d'une même voix.

Le barillet passa de mains en mains. Boulette s'approcha de moi.

— Vous savez, mademoiselle, Noré est le meilleur chasseur que je connaisse. Oui, le meilleur!

N'était-il pas curieux que Boulette vienne m'entretenir des mérites de Noré? La reconnaissance des prouesses d'autrui n'était pas le fort des voyageurs.

— Il vous noie ça, lui, une famille de castors. Il sait même détecter leur respiration juste en surveillant les mouvements de l'eau. Une bonne fois, il a eu tout un troupeau de caribous en une seule journée. Une vraie boucherie! Les Sauvages ont eu de la viande jusqu'au printemps! Il sait tuer les chevreuils, les ours…

Il énuméra ainsi une longue liste d'animaux. Il me donnait l'impression de réciter une leçon apprise par cœur.

— C'est un bon trappeur, aussi ! Il a de la chance, le vinguienne. Euh… Il fait sa chance, je veux dire…

— C'est bon, Boulette, le coupai-je avec indifférence. J'ai compris le message.

— En tout cas, je veux que vous sachiez qu'il a toujours de maudites belles fourrures qui valent de la bonne argent.

Tshinisheu, qui suivait la conversation, ricanait dans son coin. Il s'adressa à Noré dans sa langue. Il comprenait parfaitement le français, bien qu'il se refusât à le parler. Après l'avoir entendu, Noré leva les yeux au ciel et se mit en devoir de traduire :

— Tshinisheu veut que vous sachiez, mademoiselle, que je ne suis pas si bon chasseur et que c'est ma faute si le vent du nord souffle depuis le printemps.

— C'est vrai ! rajouta Picote. C'est de sa faute ! Napeukamatet m'a tout raconté ! Notre Noré s'en est pris à un ours à coups de hache !

— Je n'avais pas de fusil avec moi ! se défendit ce dernier.

— L'animal lui a échappé ! continua Picote.

— Ce n'est pas comme ça que ça s'est passé ! s'énerva Noré. Je me suis essayé à la hache, mais je calais dans la neige, même avec mes raquettes ! Je suis retourné chercher mon fusil.

—Il a retrouvé son ours au bout d'une couple d'heures, agonisant dans la neige, un bout de cervelle en dehors du crâne, termina Picote. On entendait les hurlements de l'animal à des milles à la ronde.

Tshinisheu reprit la parole en secouant la tête, d'un air mi-accusateur, mi-amusé. Noré l'écouta, un sourire en coin.

—Selon Tshinisheu, un homme sage mais bavard, l'ours que j'ai tué ne devait pas mourir de cette façon. Si j'avais écouté les anciens, j'aurais passé mon chemin et laissé cet ours tranquille, dans sa ouache…

Il tritura une mèche de ses cheveux.

—… et le vent du nord ne se serait pas levé, termina-t-il comme si on lui arrachait un aveu.

Tshinisheu lui fit signe de poursuivre la traduction jusqu'à la fin.

—Oui, d'accord, j'ai voulu faire à ma tête, comme toujours, compléta Noré. Bon ! Vous êtes contents ? C'était bien la peine de boire à ma santé…

Je trouvai dégoûtantes toutes ces histoires de boucherie et de cervelle. Noyer des familles de castors et estropier un ours à coups de hache ne m'apparaissaient pas des actes bien glorieux. Si le but recherché par Boulette était de me faire estimer Noré, il avait raté sa cible. Je le soupçonnais même d'avoir agi à la demande de Noré. Sans se laisser démonter, ce dernier prit le barillet des mains de

Boulette et, se tournant vers le nord, l'éleva dans les airs.

—Au vent du nord! cria-t-il, avant de prendre une lampée de rhum.

—Ah non! Je ne boirai pas au vent du nord! regimba Flavie, qui venait de recevoir le barillet. Pense à autre chose.

—À nos amis les ours, alors!

—C'est mieux, consentit Flavie.

Picote sortit son violon. Sous l'archet jaillirent les premières notes d'une ronde bien connue à Québec. Au son de la musique, j'oubliai Noré et ses turpitudes. Prise d'une folle envie de danser, j'osai demander un quadrille à Picote.

—C'est bien beau, de jouer un quadrille. Seulement je manque de bras!

—J'm'en vas te régler ça, Picote, se proposa Noré, avant de disparaître dans la nuit au pas de course.

Il fut de retour promptement, avec un tambour sauvage et une bouteille de gin. Flavie, Boulette, mon père et moi formâmes le carré réglementaire. À la lueur du feu, immobiles, nous nous regardions en souriant. Picote prit deux gorgées de gin avant de passer le flacon à Noré. En guise de préparation, le commis fit quelques mouvements énergiques avec ses bras, son violon dans une main, son archet dans l'autre. Il en était comique avec toutes ses simagrées.

À côté de lui, assis sur une bûche, Noré attendait. Il avait appuyé ses coudes sur ses genoux, prêt à frapper le tambour. Je croisai son regard gris. Encore ! J'espérais que mon père puisse lui parler dès ce soir. Au moment même où je me fis cette réflexion, Picote commença une joyeuse mélodie, irrésistible aux pieds des danseurs. Et les pièces se succédèrent, toutes plus enlevantes les unes que les autres, nous entraînant jusque tard dans la nuit. Shaw et Blackwood, aussi désireux de danser que les autres, remplacèrent Boulette et mon père à plusieurs reprises. Marie ne dansa pas. Souriante, elle nous regardait sans dire un mot.

La nuit était trop belle pour ne pas fumer sous les étoiles. J'étais la seule à ne pas avoir de pipe ni de sac à feu. Flavie partagea avec moi. Un peu en retrait, Noré fumait en silence. Son tabac n'avait pas la même odeur que celui des autres. Par moments, avec sa main, il guidait vers ses cheveux la fumée de sa pipe, à la manière des Sauvages. Shaw, Blackwood, Tshinisheu et Boulette quittèrent tour à tour le feu déclinant. Épuisée, je me rapprochai de mon père pour lui souhaiter bonne nuit avant qu'il ne quitte le poste pour le campement des Sauvages. Je n'avais certes pas l'intention de m'inviter dans la tente qu'il partageait avec sa jeune épouse. Les combles de la maison du commis demeureraient mon refuge. Après quelques bonnes paroles, mon père m'étreignit. Nous nous souhaitâmes de beaux rêves. Noré s'approcha de nous. L'expression de son visage était étrange. Il semblait nerveux, torturé.

— Monsieur, avant que vous ne partiez, pourrais-je avoir un entretien particulier avec vous ?

— Cela peut-il attendre à demain ?

— Non.

— Alors viens, mon gars.

— Bonsoir, mademoiselle, prit congé Noré en portant la main à son chapeau imaginaire.

Je m'attendais à ce que ce soit mon père qui demande l'entretien, et non le contraire ! Alarmée, je les regardai disparaître, Marie à mes côtés. De quoi Noré voulait-il parler à mon père ?

Chapitre 15

Des manières douteuses

Pour la première fois depuis longtemps, j'avais dormi d'un sommeil sans rêves. Lorsque je m'éveillai, dans les combles du poste de traite du lac Chamouchouane, la force de la lumière pénétrant par les fentes du toit me fit comprendre que la matinée était déjà bien avancée. Quel bonheur d'avoir retrouvé mon père sain et sauf et de m'être réconciliée avec lui! Je me souvins aussi de cet entretien particulier que Noré lui avait demandé à la toute fin de la soirée… Un entretien qui ne pouvait attendre au lendemain. Qu'avait-il à lui dire de si urgent? Un bien vilain pressentiment me laissait suspecter que moi seule pouvais être le sujet de leur aparté. Cette perspective entraîna mon esprit vers un futur sombre. À Québec, je reverrais enfin Richard Philippe. Et s'il refusait de me reconnaître comme sa fiancée? S'il refusait de comprendre les affreuses circonstances de mes démêlés avec feu son oncle ? À présent, je regrettais mon départ précipité pour le pays sauvage. Richard trouverait cela bien étrange… et ne me croirait que peu empressée. Mais lui ? Était-il en position de me donner une leçon sur ce point ? Certes non.

Je descendis et constatai qu'il n'y avait plus personne dans la maison. Les lieux offraient un triste spectacle. Sur la table, poudre noire et farine s'entremêlaient. À cela s'ajoutaient une hache ensanglantée, un casseau de raisins secs presque vide et un pot de graisse d'ours. J'allais commencer à ranger quand Flavie entra en coup de vent, l'œil brillant.

—Je le savais ! s'anima-t-elle, tout excitée. Le ravitaillement, ce sera pour aujourd'hui !

—C'est vrai ?

—J'en suis presque certaine ! Il y a des signes qui ne trompent pas ! chantonna-t-elle d'un ton enjoué.

—Comme quoi ?

—Comme Noré et Boulette qui décident de se laver… Tu verras… Dans quelques minutes, on viendra nous annoncer l'arrivée imminente d'une brigade…

Elle tenait dans ses mains des branches de boissent-bon, qu'elle déposa où elle put sur la table. Les poings sur les hanches, elle promena son regard aux quatre coins de la pièce et soupira.

—D'habitude, je fais toujours un ménage de printemps. Cette année, je n'en ai pas eu le courage.

De quoi aurons-nous l'air ? Il y aura du monde à souper, ce soir...

Picote entra, le visage rayonnant.

— Ils arrivent, ma femme ! Ce matin !

Elle feignit de ne pas comprendre.

— Qui ça ?

— Le ravitaillement, voyons ! Un chasseur est arrivé de la pointe Bleue. Il a dépassé la brigade sur la Chigoubiche !

Pressé, il repartit comme il était venu, balançant quelques consignes éparses :

— Il faudra bien les recevoir, là ! Tu ramasseras tes pendrioches ! Pis arrange-toi pour avoir de l'allure...

— Pffft ! C'est ça ! Va donc te couper le poil dans le nez ! marmonna Flavie pour elle-même.

— Je vais t'aider, lui offris-je. Quelle heure est-il ?

— Trop tard, j'en ai peur. Bon ! On va aller chercher de l'eau.

— Non ! Non ! Non ! On va ramasser pour commencer. Ce sera moins déprimant.

— Oui, tu as raison.

Je pris le balai et Flavie commença à mettre de l'ordre sur la table.

— À quoi tu avais pensé, pour le souper ? lui demandai-je.

— L'orignal ! me répondit-elle, un peu découragée de mon manque de perspicacité.

—Rien d'autre?

—Je... J'avais pensé à une tarte aux œufs, pour le dessert. S'ils arrivent assez tôt avec la farine pour que je puisse faire la croûte! Sauf que ma tourtière[1] n'est pas bien grande. Et je ne sais pas s'ils auront apporté de la muscade... Je n'en ai plus.

—Ça prendrait une salade.

—À ce temps-ci de l'année, il n'y a plus grand-chose de mangeable dans le bois. Tout est coriace... On peut toujours chercher, si tu veux.

—Et il te faudrait du poisson.

—Oui! Ça ferait bien d'avoir plusieurs plats, comme dans le beau monde! C'est une bonne idée! Je vais demander à Noré s'il a pêché ce matin. Il n'est pas encore venu me voir, aujourd'hui...

Je ne pus réprimer un sourire. La veille, mon père avait dû parler à Noré et couper court à toute discussion me concernant. Enfin, cet homme me laisserait tranquille. Il n'avait qu'à aller prendre son déjeuner ailleurs. Le cœur léger, j'ouvris la porte pour envoyer la poussière à l'extérieur par quelques vigoureux coups de balai. Noré et mon père se tenaient sur le seuil. Ils protestèrent vivement.

—Hé! Tu nous renvoies à coups de balai, ma fille?

---

1. Plat servant spécialement à la cuisson des tartes et des pâtés dans l'âtre.

Confuse, je leur présentai mes excuses. Pourquoi mon père était-il encore en compagnie de ce maudit Noré? Ils entrèrent.

—Bonjour, madame Picote! commença mon père. Et bonjour, Angélie! Tu vas bien? Je voulais juste venir réjouir mon regard de ta beauté. Et me prouver que je n'avais pas rêvé la veille...

Il me souriait avec bienveillance.

—Tu connais Noré, n'est-ce pas?

—Oui.

—Bon! Alors, je te laisse entre bonnes mains. Je travaille avec Shaw et Blackwood toute la journée, je ne te reverrai donc que ce soir.

Il m'embrassa. Avant de sortir, il s'inclina en direction de Flavie.

—Mes hommages, madame Picote! Et encore merci pour les soins prodigués à ma fille!

Il me traitait comme une enfant! N'avait-il rien compris? N'avait-il pas pris conscience que j'avais changé? J'enrageais.

—Bonne journée, Montizambert! le salua à son tour Flavie. Euh... Monsieur de Montizambert!

Mon père reparti, Flavie resta étonnée.

—Madame Picote? Pourquoi m'a-t-il appelée madame Picote? Il n'a jamais fait ça! Quelle mouche l'a piqué? A-t-il peur que sa fille oublie les bonnes manières?

Elle pouffa. Je n'avais pas envie de rire. Devant moi, Noré se tenait debout, avec sa barbe noire. Ses cheveux encore mouillés avaient été rassemblés en une unique tresse. Il portait une chemise propre et des mitasses de drap bleu. Voyant qu'il restait là, je baissai les yeux, fixant les franges de sa ceinture à flèches.

—Es-tu allé pêcher, ce matin ? s'informa Flavie.

—*Ehe*. J'ai pris trois beaux dorés.

—Garde-les-moi pour ce soir ! s'empressa-t-elle de lui demander.

Noré ne répondit rien, ce qui, dans son langage, voulait probablement dire qu'il acceptait. Il restait devant moi, parfaitement immobile.

—Qu'est-ce qui se passe ? s'impatienta Flavie. On a du travail ! Tu veux quoi ?

—Je suis venu voir mademoiselle Boucher de Montizambert.

Flavie s'arrêta, bouche bée, pour ouvrir de grands yeux. Pour ma part, je n'arrivais pas à y croire. Cet homme me faisait à présent une cour ouverte ! Et c'était mon père qui l'avait conduit jusqu'ici !

—Eh bien, tu l'as vue ! le pressa Flavie. Maintenant, tu peux t'en aller. Vite ! Tu ne vois pas qu'on fait le ménage ?

Noré m'enleva doucement le balai des mains et le posa contre le mur.

—Tu n'as pas compris, Flavie! Je suis venu rendre visite à mademoiselle. Si elle n'a pas le temps de me recevoir, je vais me retirer. C'est à elle de décider.

—Ah! Parce que tu joues au vrai visiteur, ce matin! railla Flavie. Prenez place, mon beau monsieur! l'invita-t-elle en désignant d'un geste de la main la vieille causeuse.

—Attendez-moi ici, je vais aller voir si mademoiselle est disposée à vous recevoir. Elle est dans son boudoir… dans les combles de la maison… entre une paire de raquettes et deux traînes sauvages!

Noré ne broncha pas, gardant ses yeux sur moi. Il ne paraissait nullement appréhender ma réponse. Aucune nervosité n'émanait de sa personne.

—Alors, mademoiselle? Acceptez-vous de me recevoir?

Prise au dépourvu, je ne sus que répondre. Il me tendit sa main, mais je la dédaignai et pris place seule sur le canapé. Il m'y rejoignit et s'assit à ma droite. Flavie nous regarda faire du coin de l'œil, mi-amusée. Elle ne pouvait imaginer à quel point la situation m'était inconfortable. J'attendis que Noré prenne la parole, ce qu'il tardait à faire.

—Avez-vous besoin d'aide? nous taquina Flavie.

Elle prit un baquet et sortit pour aller chercher de l'eau au lac. Cela ne décida pas davantage Noré à parler. Je savais qu'il me regardait, mais je n'osais lever les yeux sur lui. Dans l'attente que prenne fin cet entretien ridicule, je fixais l'un des pans de sa ceinture à flèches, qui reposait entre lui et moi sur le tissu usé de la causeuse.

— J'ai cru remarquer que vous aimiez fumer, dit-il au bout de ce qui me parut une éternité.

— Vous en remarquez, des choses, monsieur.

— C'est que vous êtes remarquable.

Je sentis le sang affluer bien malgré moi à mon visage. Je gardai la tête baissée, espérant que Flavie revienne au plus vite.

— Je vois que ma ceinture à flèches exerce sur vous un grand intérêt.

Je me décidai à le regarder. Comme je le pensais, il me couvait littéralement du regard. Un regard franc, exempt de sournoiserie.

— Elle est belle, n'est-ce pas ? C'est Flavie qui me l'a faite.

Flavie rentrait justement, trimballant avec difficulté le baquet rempli d'eau. Noré l'aida tout de suite.

— Je vous laisse et vous en profitez pour parler de moi ?

— Je disais à mademoiselle que tu avais tissé ma ceinture à flèches.

— Oui ! Ma plus belle ! Picote ne m'a pas encore pardonné de l'avoir donnée à Noré ! Que voulez-vous ? Quand je commence une pièce, je sais déjà à qui elle est destinée. Mon cœur et mes doigts font le reste. Celle-là, je savais depuis longtemps qu'elle était pour Noré. Approche-toi, Angélie.

Flavie prit entre ses mains l'une des extrémités de la ceinture de Noré, resté debout au milieu de la pièce.

— Tu vois, le cœur est en gros bleu. Et puis de chaque côté, j'ai fait des flèches nettes.

De son doigt, elle me désigna les flammes qui s'élançaient de part et d'autre des têtes de flèches en gros bleu. Sur un fond écru, elles s'imbriquaient dans des tons bleu clair et jaune doré. Les extrémités comportaient de fines rayures.

— Il ne voulait pas d'éclairs, m'expliqua-t-elle.

— C'est une magnifique ceinture, complimentai-je Flavie.

Mes yeux glissèrent de la ceinture de Noré à ses cuisses. La bande de peau laissée à découvert entre ses mitasses et sa chemise était ornée de tatouages intrigants.

— Il faut croire que ses belles qualités ont su m'inspirer, avoua Flavie. Parce qu'il en a, des belles qualités ! Il n'y a pas plus vaillant dans les environs. Tu aurais dû le voir soigner ton père, pendant sa maladie.

Noré parut mécontent que Flavie aborde ce sujet.

— Quoi ! Je ne me gênerai pas pour le lui faire savoir ! C'est Noré qui a sauvé ton père, Angélie.

Au même instant, des cris nous parvinrent de l'extérieur de la maison. La brigade de ravitaillement arrivait enfin. Noré me regardait toujours de ses yeux clairs aux iris changeants.

—Je dois y aller, mademoiselle. Mais si vous me le permettez, je reviendrai un autre jour pour vous expliquer la signification des symboles que je me suis fait piquer sur les cuisses. J'ai vu qu'ils vous intéressaient tout autant que ma ceinture.

Après m'avoir souri crânement, il porta la main à son chapeau imaginaire et sortit sans attendre ma réponse. Comme je le détestais de me laisser dans cet état de confusion! Pourquoi m'étais-je attardée à regarder ses maudits tatouages?

—C'est vrai, Angélie. Noré a sauvé ton père. Ne sois pas trop dure avec lui. Laisse-lui une chance.

J'eus envie de lui rétorquer qu'elle ferait bien de se préoccuper davantage de sa vie matrimoniale que de la mienne, ce dont je me retins. Qu'avaient-ils donc tous, à vouloir me pousser dans les bras de ce barbu aux manières douteuses? D'abord Boulette, puis mon père, et maintenant Flavie!

—Tu viens?

—Où ça? bougonnai-je.

—Voir les hommes qui sont arrivés! Tu devrais sourire un peu plus. Rien ne t'autorise à être désagréable aujourd'hui. Ton père et toi vous êtes retrouvés en santé, le ravitaillement arrive à temps pour la foire, ta beauté est célébrée… Que veux-tu de plus?

Mon esprit tenait un tout autre discours. J'étais déçue du comportement de mon père. J'en avais assez d'être ici, sans aucune commodité, toujours habillée de la même façon. Quant à ma beauté célébrée… Je me sentais surtout salie par les regards appuyés d'un rustre qui me rappelait l'homme que je détestais le plus au monde. Même s'il était mort et enterré, Jean-Baptiste Guyon resterait pour moi vivant à tout jamais.

Chapitre 16

Une fleur dans les sous-bois

Le bouillon d'orignal était maintenant prêt à recevoir la viande. Sa préparation avait été toute une affaire. Flavie avait dû sermonner Noré un bon quart d'heure à ce sujet. Pensant bien faire, ce dernier avait remis les quatre pattes de l'animal aux Sauvagesses, pour la fabrication de pemmican.

—Avec quoi veux-tu que je fasse mon bouillon ? avait déploré Flavie, presque en larmes devant la carcasse amputée de ses pattes.

—Je n'y ai pas pensé…

—Pffft ! Les hommes ! Vous ne pensez pas à grand-chose…

Pour se faire pardonner, Noré lui avait rapporté le mufle, un morceau presque aussi prisé que la langue. À défaut de pouvoir utiliser les pattes de l'orignal, Flavie s'était rabattue sur le cou. L'odeur qui se dégageait à présent de la grande marmite de cuivre donnait l'eau à la bouche. Il avait fallu écumer, dégraisser, passer et épaissir de plusieurs poignées de farine le bouillon parfumé de quelques feuilles de bois-sent-bon. Je m'approchai de Flavie, tenant fermement un grand plat débordant de morceaux d'orignal légèrement boucané. Toute cette viande avait été cuite à l'extérieur, au-dessus du feu, puis effilochée. J'inclinai le plat tandis que Flavie, à deux mains, refoulait la viande en direction du liquide fumant. Après avoir donné quelques tours de micouenne au ragoût, elle se tourna vers moi, souriante, visiblement soulagée.

—Je crois bien que c'est prêt.

Elle ouvrit le banc-coffre et en sortit une grande et lourde nappe de lin. Je l'aidai à la déplier et à l'étendre sur la table.

—Ce n'est pas souvent qu'on la sort, celle-là. Tant qu'à bien faire… Oh! Angélie! Viens m'aider, on va décrocher mes ouvrages!

J'approchai une bûche de l'endroit où étaient pendus à des crochets tous les tissages mis en route par Flavie: ceintures, jarretières et courroies de diverses largeurs. Montée sur cette bûche, celle-ci les décrocha un à un. Je les reçus comme de véritables trésors et les pliai délicatement, prenant bien soin de ne pas emmêler les fils.

Alors que Flavie finissait de mettre la table, je jetai un coup d'œil à la fenêtre. Devant la maison, les hommes bavardaient. Parmi les nouveaux venus se trouvaient le commis Gilbert, le commis Smith, deux engagés du poste de Chicoutimi, Mahikan, Uapishtan et deux Sauvages que je n'avais jamais vus.

— Tu as voyagé avec la femme de Smith, à ce que j'ai compris, me dit Flavie tout en déposant le moutardier sur la table. Comment elle s'appelle, déjà... Marie-Josèphe ? Je ne l'ai jamais rencontrée. Comme elle a toujours refusé de monter jusqu'ici, j'ai toujours refusé de descendre la voir. Comment est-elle ?

— Guindée. Elle n'a pas les moyens de ses ambitions. Compte-toi chanceuse qu'elle reste où elle est.

Surprise de ma réponse, elle me regarda, interdite. Nous éclatâmes de rire en même temps.

— Voudrais-tu aller chercher les hommes ?

J'ouvris la porte et les appelai.

— Messieurs ! Le souper est servi !

Ma voix ne porta pas suffisamment. Occupés qu'ils étaient à deviser, à se relancer et à rire, ils n'entendirent pas mon invitation. Intimidée, je m'avançai au milieu d'eux.

— Le souper est servi ! répétai-je.

Toute l'attention du groupe se porta instantanément sur moi. Entourée d'un si grand nombre d'hommes, j'éprouvai la sensation d'être prise au piège. Cette impression était si forte que j'eus du mal à me composer un visage souriant et engageant.

— Tu as bien travaillé, Montizambert, commença le commis Gilbert. A-t-on jamais vu pareille fleur dans les sous-bois des King's Posts ?

— Jamais ! approuva le commis Smith.

— Non, jamais ! renchérit Picote.

Je me sentais de plus en plus mal à l'aise, surtout envers Flavie. Elle venait de se poster dans l'encadrement de la porte ouverte pour suivre la conversation. Quel manque de délicatesse de la part des hommes…

— Et… peut-on savoir le nom du chanceux qui aura l'honneur de cueillir cette fleur ? s'enhardit Gilbert.

— Certainement pas un homme qui met trop de sirop de Barbade dans sa bière d'épinette, osai-je rétorquer.

Les hommes rirent et portèrent toute leur attention vers mon père. Surtout Noré. Fier comme un coq, mon géniteur et protecteur fit exprès de différer sa réponse, préférant gratter la terre avec un bâton. Au bout de quelques longues secondes, il leva la tête.

— Cela dépendra des cueilleurs qui se présenteront.

Je n'en croyais pas mes oreilles ! Décidément, mon père ne m'écoutait pas. Offusquée, je tournai les talons et me dirigeai vers Flavie, qui s'écarta pour me laisser entrer. Derrière moi, les hommes se perdaient en conjectures diverses sur mon futur mari. Gilbert fanfaronnait encore plus que les autres.

Comme la table ne pouvait accueillir tout le monde, certains restèrent debout. Les filets de doré frais, roulés dans la farine et rôtis dans la graisse, disparurent en quelques minutes. Les tendres verdures que Flavie et moi avions si difficilement dénichées dans les alentours du poste ne suscitèrent aucun émoi. Par contre, le ragoût d'orignal ! Les grognements de contentement des hommes durent se faire entendre jusqu'au campement des Sauvages. Tous félicitèrent le chasseur et oublièrent Flavie pour me couvrir de compliments. J'eus beau expliquer que je n'avais été que l'assistante de la véritable cuisinière, rien ne les empêcha de me flatter exagérément. Coincée entre son mari et Noré, l'air triste et déçu, ma pauvre amie restait muette. Par quelques mots discrètement chuchotés à son oreille, Noré réussit à la faire sourire. Pour la première fois, j'éprouvai de la reconnaissance envers cet homme. Tshinisheu prit la parole en montagnais. À son ricanement, je compris qu'il venait encore de faire une de ces blagues dont lui seul avait le secret.

—Qu'est-ce qu'il a dit ? voulut savoir Smith.

—Il a parlé d'orignal, non ? intervint Picote en s'adressant à Noré.

Noré me regarda longuement avant de répondre.

—Il a dit que j'avais dû rêver à une bien belle fille, il y a trois jours, pour tuer un orignal aussi savoureux.

—Quel est le rapport? demanda Gilbert.

—Si on rêve à une belle fille, expliqua Noré, c'est qu'on est à trois jours de tuer un orignal.

—C'est vrai? s'amusa Picote. Raconte-nous ça, mon Noré. Des rêves avec des belles filles, c'est toujours intéressant.

—J'ai bel et bien rêvé d'une fille il y a trois jours.

—Oh! Oh! rigola Boulette. On ne se demande pas de qui!

Tous les regards convergèrent sur ma personne. Je me sentais au bord de l'évanouissement.

—Elle devait te résister, alors, avança Gilbert.

—Non! Elle m'invitait même à la suivre dans le bois.

Les hommes poussèrent des cris ridicules qui faillirent avoir raison de moi. Heureusement, la conversation dévia sur un autre sujet. Après que les derniers morceaux de galette eurent disparu avec les dernières gouttes de sauce, Flavie déposa fièrement la tarte aux œufs sur la table. Au moins reçut-elle quelques remerciements à cet instant, même si son moment de gloire fut de courte durée. Picote décida qu'il me revenait de choisir ceux qui auraient l'honneur de manger la tarte. Vu la taille du dessert, je devais nommer au plus sept personnes, un chiffre apparemment chanceux. Vraiment, il me tardait que ce souper prenne fin. Ma décision fut prise rapidement.

—Alors… Je choisis Flavie, à qui nous devons ce repas, Tshinisheu, Uapishtan, Mahi…

J'allais nommer Mahikan. Un peu plus et j'oubliais que cet homme m'avait tiré dessus ! Trop tard, je m'étais déjà engagée…

—Mahikan et les deux hommes assis à sa gauche, dont je ne connais pas le nom.

—Il te manque une septième personne ! me rappela Gilbert.

—Non ! C'est moi, la septième personne !

La singularité de mon choix me valut presque une huée. Frustrés d'avoir été dédaignés pour les Sauvages, les Blancs protestèrent. Mon père feignit de vouloir me renier. Picote fit appel à une obscure règle du pays sauvage voulant que seuls les commis soient autorisés à manger de la tarte aux œufs. Quant à Boulette, il mima une crise d'apoplexie. Leur déconfiture eut pour effet de les désintéresser de moi, enfin. Ils me laissèrent tranquille pour aborder la question de la grande foire à venir au lac Nikupau.

—As-tu reçu ce que tu voulais, Picote ? demanda Gilbert.

—Je n'ai pas eu le temps de vérifier toutes les marchandises, mais il me semble que oui. Connolly a envoyé ce que j'avais demandé, et bien davantage. Ah! Et c'est gentil, pour les vingt livres de beurre. Ce n'est pas souvent qu'on se fait envoyer des produits frais...

—Avez-vous choisi la date?

—La foire aura lieu les 20, 21 et 22 juillet.

—Trois jours? s'exclama Smith, avec son fort accent anglais. Pourquoi trois jours?

—Eh! Il faut demander à Noré! C'est lui, l'organisateur!

Noré expliqua:

—Dans le temps, il paraît que les foires du lac Nikupau se déroulaient en trois jours. On a pensé que le mieux serait de procéder de la même façon. La foire s'ouvrira vers midi, avec des discours et des échanges de cadeaux. Le deuxième jour permettra aux chefs de se rencontrer pour régler leurs affaires et le troisième jour sera consacré aux échanges... Pour finir le tout en beauté, une grande fête sera donnée par la Compagnie.

—Des cadeaux? s'étonna Gilbert.

—Oui, des cadeaux! s'impatienta Picote. On voit bien que ce n'est pas toi qui subis la compétition de la Compagnie de la Baie d'Hudson.

—Quelles sortes de cadeaux Connolly a-t-il envoyés? demanda Smith, curieux.

—Des fusils à faire pâlir d'envie n'importe qui! Je les ai vus, j'en ai déballé un. Ils sont beaux! Avec un pontet en cuivre jaune à motifs floraux, un médaillon en argent sur la poignée… On va en donner à tous les chefs qui se seront déplacés !

—Attention, Picote ! s'interposa Noré. Il ne faut pas donner n'importe quoi à n'importe qui. Tu pourrais en insulter plusieurs. Il faudra être prudents et bien réfléchir à notre affaire. Échanger des cadeaux avec les Sauvages, ce n'est jamais anodin.

Picote minimisa les avertissements de Noré.

—Bon ! Bon ! Bon ! Écoutez qui parle ! Il y a aussi des pipes ouvragées, des ornements de cuivre spécialement conçus pour la traite par un orfèvre de Montréal, des bouteilles de vrai bon whisky… Avec ça, on va réussir à garder notre clientèle, je vous le garantis !

Tout en parlant, il s'était levé. Ceux qui n'avaient pas eu droit à un morceau de tarte quittèrent la table pour aller fumer dehors, à l'exception de Noré.

—On vous laisse avec vos Sauvages, mademoiselle, annonça Gilbert. Si c'est un Montagnais que vous souhaitez épouser, vous n'aurez que l'embarras du choix à cette table. À part Mahikan, je crois savoir qu'ils sont tous célibataires…

La pièce se vida et il ne resta plus que Tshinisheu, Mahikan, Uapishtan, Noré et les deux Sauvages que je ne connaissais pas. Ils demandèrent du thé. Flavie, qui n'avait pas encore touché à sa part de tarte, la laissa à Noré. Prévoyante, elle avait déjà accroché le coquemar dans l'âtre. Il ne lui fallut que quelques minutes pour préparer une infusion de thé du Labrador. Autour de la table, les Sauvages parlaient à voix basse, dégustant avec contentement la tarte moelleuse et sucrée. Parlée si doucement, leur langue rappelait le murmure des forêts qu'ils habitaient. Le bruissement du vent dans les feuillages, le chuintement d'un ruisseau solitaire… Je n'arrivais pas à en distinguer les mots. Les phrases restaient toutefois perceptibles, parce qu'elles se terminaient souvent par une légère élévation de la voix, comme si chaque pensée en entraînait une autre. À les regarder, je compris qu'ils considéraient Noré comme un des leurs.

— *Tshiniskumitin!* me lança Mahikan.

— Il vous remercie, mademoiselle, traduisit Noré. Quant à moi, je ne sais si je dois vous remercier.

Flavie attisait le feu.

— Viens, ma Flavie, l'invita Noré. Viens donc goûter ta tarte. Il n'y a que toi pour en faire des aussi bonnes.

Il piqua un morceau sur la pointe de son couteau et le tendit vers elle.

— Non, merci. Je n'ai pas le cœur à manger de la tarte. Suis-moi, Angélie. Allons porter le thé aux hommes qui veillent dehors, avant qu'ils ne tombent pour de bon dans la boisson.

Sans regret, je laissai mon morceau de tarte sur la table et sortis avec Flavie. Je ne savais trop comment lui montrer que j'étais désolée de la manière dont s'était déroulé le souper. Je me sentais responsable. Nous restâmes quelques instants près du feu, à écouter les inepties de Boulette qui commençait à être fin saoul. J'allai trouver mon père.

—Marie n'est pas avec vous?

—Non, pourquoi? Hé! Hé!

—Il me semble qu'elle aurait dû vous accompagner!

—Tu iras lui dire ça toi-même, ma fille! Si tu arrives à la convaincre de venir, je jouerai à saute-mouton!

Sachant qu'il ne servait à rien de lui parler lorsqu'il avait bu, je poursuivis néanmoins:

—C'est elle qui n'a pas voulu venir?

—Oui, ma fille! Elle préférait rester avec sa famille plutôt que de venir nous écouter débiter des âneries dans une langue qu'elle ne comprend même pas! Elles sont indépendantes, les Sauvagesses! Elles nous laissent de l'air pour respirer!

Flavie me prit par le bras et m'entraîna dans le sentier menant vers la pointe où nous aimions veiller. Le soleil était près de se coucher. Sur le lac, nous vîmes plusieurs canots s'engager sur la rivière Nikupau.

—Ce sont des Sauvages qui viennent pour la foire, dit Flavie.

Je sentais dans sa voix qu'elle était lasse. Je la gratifiai d'un regard compatissant.

—Ne sois pas triste pour moi, Angélie. On ne peut pas empêcher les hommes d'aimer la beauté.

—Je les ai trouvés immondes.

—Allons donc… N'est-ce pas normal, pour une fille de ton âge, d'être célébrée au cours d'une soirée ? Comment est-ce que ça s'appelle déjà… Le premier bal, avec des prétendants ?

—Je n'ai jamais été officiellement présentée dans le monde.

Je ne pus m'empêcher de rire en réalisant que cette soirée, qui venait de se terminer, constituait en quelque sorte ma présentation dans *un* monde. J'eus une pensée pour ma mère, qui devait se retourner dans sa tombe : mon père venait de me présenter comme une fille à marier devant une bonne partie de la société des King's Posts, à l'occasion d'une beuverie. Ma mère n'avait-elle pas plutôt toujours rêvé pour moi d'un bal grandiose au Château Saint-Louis ?

—Tu ris ? s'inquiéta Flavie.

—Je ris pour ne pas pleurer.

Les folies des hommes s'entendaient de très loin. Lorsque nous rentrâmes, il ne restait plus personne dans la maison. Épuisée, je montai me coucher, une chandelle à la main. Sur ma couverture, on avait déposé une pipe et un bouquet de fleurs. Sûrement des asters, vu leur délicate forme étoilée. J'approchai ma bougie. Oui, le bouquet était bien composé d'asters d'un bleu très pâle, légèrement teinté de violet, avec de larges feuilles qui avaient été laissées sur les tiges. Je pris la pipe et remarquai qu'un morceau d'écorce de bouleau avait été enroulé autour de son tuyau. Je le déroulai.

Pour vous, je serai Constant.

L'écriture était belle et appliquée. Intriguée, je regardai la pipe de plus près. Elle était d'argile blanche et tout autour du fourneau se succédaient les phases de la lune. Je me dépêchai de redescendre avant que Flavie ne s'endorme.

— Flavie! Regarde ce qu'il y avait sur mon lit!

Je ne savais pas si je devais être heureuse ou malheureuse.

— Des asters, les identifia-t-elle. Dans le langage des fleurs, elles sont gage d'amour constant.

— Comment sais-tu cela?

— Je le sais, c'est tout. Les feuilles se fument.

— Elles se fument?

— Oui... Par chez nous, on disait qu'il fallait les fumer pour en savoir plus sur notre amoureux. Si ça te donnait mal au cœur, c'était bon signe, tu pouvais marier sans crainte celui qui t'avait offert les fleurs. Si ça te donnait mal à la tête, il valait mieux en épouser un autre, de préférence son rival. Et si ça ne te faisait rien du tout, le célibat était recommandé.

—Qui a pu monter dans les combles de la maison ?

Flavie me fit une moue découragée.

—Angélie ! Tu sais très bien qui t'offre ces fleurs et cette pipe d'argile !

—Il sait écrire ?

—Oui. Noré sait écrire.

Je n'arrivais pas à croire que cette belle main d'écriture lui appartenait. Je montrai le morceau d'écorce à Flavie.

—Oui. C'est bien lui, confirma-t-elle.

Je remontai, parfaitement malheureuse.

—J'ai donné tes deux lettres au commis Smith ! m'indiqua Flavie du bas de l'échelle. Il les fera porter à Tadoussac... Et n'oublie pas de faire sécher tes feuilles ! me recommanda-t-elle enfin, juste avant que je ne referme la trappe.

Dès le lendemain, je rendrais à ce maudit Noré et sa pipe, et ses fleurs ! Pensait-il vraiment que je me laisserais séduire ? Qu'il avait la moindre chance ? Il avait dû être encouragé par mon père... Je me laissai tomber sur mon lit, lasse de tout ce cirque.

Maintenant que j'avais revu mon père, une seule pensée occupait mon esprit : retourner à Québec.

Je fixais le plafond en essayant d'évaluer la date de mon retour chez Claire-Françoise. Nous étions le 16 juillet. La brigade avait quitté le poste du lac Chamouchouane le matin du 11. Il fallait, selon Boulette, une semaine pour se rendre au lac Mistassini. Les hommes y arriveraient donc aux environs du 18. Je comptai qu'ils y resteraient trois jours, le temps de desservir les deux postes en fonction là-haut. Ils redescendraient aux alentours du 22, pour arriver ici le 30. Je m'embarquerais alors avec eux pour Québec. Toujours au dire de Boulette, le retour était plus facile parce que l'on descendait la Chamouchouane sur toute sa longueur, jusqu'au lac Saint-Jean, sans prendre la Chigoubiche. Mes calculs me menaient au 14 août. Dans un mois, je souperais à Québec, rue Saint-Stanislas. Un mois... Richard serait sûrement de retour... Je m'endormis en calculant et recalculant le nombre de postes et le nombre de jours qui me séparaient de mes amis, de mon amour.

Remerciements

Je tiens à remercier :

André Lemieux, pour son travail de relecture et ses commentaires avisés

et

Guillaume Marcotte, pour ses précieux conseils sur certains détails de culture matérielle et autres éléments historiques.

Pour leurs encouragements et leur indéfectible enthousiasme, je tiens aussi à remercier mes tout premiers lecteurs :

Alain, Annie, Caroline, Gilberte, Julie, Pascale, Philippe et Pierre.

Table des matières

Suivez-nous

Achevé d'imprimer en mars 2017
sur les presses de Marquis-Gagné
Louiseville, Québec